Yn fyw yn y cof

I'r genod: Mari, Lleucu, Annes a Gwen

Yn fyw yn y cof

John Roberts

Diolch yn fawr iawn i staff y Lolfa am eu gwaith ac yn arbennig i'r golygydd Marged Tudur. Diolch hefyd i Valériane Leblond am gael defnyddio'r llun ar gyfer y clawr.

Argraffiad cyntaf: 2021
© Hawlfraint John Roberts a'r Lolfa Cyf., 2021

Darlun y clawr: Valériane Leblond
Cynllun y clawr: Tanwen Haf

Rhif Llyfr Rhyngwladol: 978 1 80099 150 7

Dymuna'r cyhoeddwyr gydnabod cymorth ariannol
Cyngor Llyfrau Cymru

Cyhoeddwyd ac argraffwyd yng Nghymru
ar bapur o goedwigoedd cynaliadwy gan
Y Lolfa Cyf., Talybont, Ceredigion SY24 5HE
e-bost ylolfa@ylolfa.com
gwefan www.ylolfa.com
ffôn 01970 832 304
ffacs 01970 832 782

Heddiw...

Roedd hi'n tywallt y glaw ar ddydd Mawrth yr Eisteddfod a phawb wedi cilio o'r maes i'r Babell Lên, y Tŷ Gwerin, y Theatr a hyd yn oed i'r Pafiliwn. Doedd 'na 'run adyn ar y maes oni bai am Iorwerth oedd yn eistedd yn unig yng nghanol y cae. Tywalltai'r glaw yn ddafnau fel marblis gan hyrddio eu hunain ar ben moel Iorwerth. Ond doedden nhw'n mennu dim arno. Eisteddai, ei goesau wedi croesi, ar damaid o laswellt, gwên lydan ar ei wyneb a golwg dyn wedi ei ryddhau o garchar tywyll du arno. Syllai ambell un yn syn wrth ruthro heibio iddo. Oedodd un dyn a sefyll dan ambarél golff go sylweddol uwch ei ben, plygodd ato. Syllodd y ddau ar ei gilydd, yna estynnodd y dyn dan yr ambarél ddarn o bapur a'i lithro i boced frest y gôt wleb. Sythodd ei gefn a chilio ar draws y cae a hynny heb ddweud yr un gair. Roedd y glaw yn dal i bistyllio'n ddidrugaredd, ond nid oedd Iorwerth yn gwenu bellach.

'Fan hyn ydach chi 'Nhad?'

Ni chododd ei ben i'w chydnabod hyd yn oed. Eisteddodd Bethan ar y glaswellt gwlyb wrth ei ochr. Roedd y glaw wedi tywyllu ei gwallt cyrliog cringoch ac roedd yn diferu ar ei hysgwyddau meinion. Teimlai'r dŵr yn llifo i lawr ei chroen cynnes, fel petai rhywun yn rhedeg llaw oer ar hyd ei meingefn.

'Dwi wedi bod yn chwilio amdanoch chi ym mhob man,' meddai gan nodi ffaith yn hytrach nag edliw. 'Mi wnaethoch chi ddiflannu o'r lle bwyd. A finnau'n meddwl y byddech chi wrth eich bodd yn cael cinio.'

'Pa ddiwrnod ydi hi?' ymatebodd Iorwerth.

'Dydd Mawrth cyntaf yn Awst, dydd Mawrth y Steddfod.'

'O!'

''Dach chi eisiau bwyd 'Nhad?'

'Faint o'r gloch ydi hi?'

'Amser cinio.'

'Ydi hi, Margaret?'

'Nid Margaret ydw i 'Nhad, Bethan ydw i.'

'Bethan?'

'Eich merch.'

'Nage siŵr,' meddai gan droi ati a syllu'n syn arni, '... un wirion wyt ti!'

'Cinio 'ta?' meddai Bethan gan fygwth codi.

Parhaodd Iorwerth i syllu'n fud arni, ond heb symud bys.

'Dowch!' meddai gan estyn ei llaw iddo, ei dillad yn glynu wrthi bellach. Roedd hi eisiau bod mewn lle cysgodol, ond doedd y glaw ddim yn cael unrhyw effaith ar Iorwerth.

'Faint o'r gloch ydi hi?' meddai eto.

'Amser cinio 'Nhad, ffansi salad bach neu frechdan efo paned o de?'

'Paned o de?'

'Fasa paned o de poeth yn dda!'

'Na.'

Ochneidiodd Bethan yn dawel. Erbyn hyn gallai weld fod y glaw wedi socian drwy bob edefyn yn ysgwyddau côt frethyn ei thad. Roedd ei ychydig wallt yn gaglau gwlybion a'i sbectol gron yn berlau glaw drosti, tra bod cluniau ei drowsus hefyd yn sugno'r glaw fel hen lymeitiwr. Roedd rhaid ei dywys orau y gellid i le sych.

'Margaret?'

Ni thrafferthodd i'w gywiro.

'Oes modd cael...?' daeth y frawddeg i stop cyfarwydd. Rhwystrodd Bethan ei hun rhag gorffen ei frawddeg.

'Oes modd cael be, 'Nhad?'

'Rargian fawr Iorwerth, be 'dach chi'n wneud fan hyn?' Daeth llais Greta fel corn yn diasbedain ar draws y maes. Goleuodd wyneb Iorwerth yn union syth. 'Does 'na ddim cystadleuaeth nofio yn y Steddfod, na chystadleuaeth gwlychu. Dowch, mi awn ni am baned bach, a chwilio am gysgod,' a chydiodd ym mraich chwith Iorwerth. Cododd yntau fel llanc deunaw oed a cherdded yn dalog, hithau ar ei fraich i gyfeiriad pabell Merched y Wawr. Gwenodd Bethan wrthi ei hun gan sychu'r diferion o gongl ei llygaid.

'Pa ddiwrnod ydi hi heddiw?' clywodd hi Iorwerth yn gofyn y cwestiwn cyfarwydd.

'Diwrnod ar ôl ddoe, a diwrnod cyn fory, Yncl Iorwerth,' meddai Greta'n ddifalio.

Chwarddodd y ddau.

Roedd pabell Merched y Wawr yn brysur fel y gellid disgwyl, ond nid oedd hynny'n poeni Iorwerth bellach gan fod Greta ar ei fraich. Llifai geiriau cynnes Greta tuag ato fel afon, heb atalnod yn ymddangos yn unman, ac roedd hyn yn plesio Iorwerth. Darganfu rhywun dywel dan ryw fwrdd yng nghefn y babell a sychwyd gwallt y gwestai a rhoddwyd paned gynnes yn ei law. Pan gyrhaeddodd Bethan y babell roedd gwên ar wyneb Iorwerth unwaith eto ac wyneb Greta'n disgleirio. Eisteddodd y tri yng nghornel y babell, benthyciodd Greta gadair fach o gornel y plant. Edrychodd Iorwerth ar y ddwy a dechreuodd chwerthin yn uchel.

''Dach chi'n wlyb fel dau sbengi!' meddai yn bachu anadl yng nghanol ei chwerthin.

'Efo chi, dyna wneud tri,' ychwanegodd Greta mewn amrantiad.

'Ti'n odli fel bardd y...' oedodd yng nghanol ei sgwrs, tagwyd y chwerthin, 'bardd y...'

'Goron?' cynigiodd Bethan yn betrus.

Syllodd Iorwerth yn fud arni drwy lygaid llwydion.

'Mae hi fel yr Ysgol Sul ers talwm, Mr. Jones,' mentrodd Greta i geisio torri ar y tawelwch.

Gwenodd Iorwerth unwaith yn rhagor.

Echdoe...

'Sawl blwyddyn o newyn oedd 'na yn Yr Aifft felly, Greta?'

'O! Yncl Iorwerth, nid yn yr ysgol feithrin yda ni, 'da ni'n ddeunaw oed. Roeddwn i'n meddwl mai dod yma i drafod crefydd oedden ni.'

'Ond os wyt ti'n ymddwyn yn yr Ysgol Sul fel rhywun yn yr ysgol feithrin, rhaid dy drin di fel rhywun yn yr ysgol feithrin.'

Gwenodd Greta wên nawddoglyd, cydiodd mewn cudyn o wallt pinc oedd yn hongian wrth ei chlust chwith a'i droi o gylch ei bys fel merch fach saith oed.

'Saith, Yncl Iorwerth.'

Ffrwydrodd chwerthiniad o gyfeiriad Bethan.

'Tydi hyn ddim yn ddoniol, Bethan,' dwrdiodd Iorwerth.

'A saith mlynedd o lawnder cyn hynny, a dyna sut y daeth Joseff yn brif weinidog y wlad a gwaredu ei deulu, er eu bod nhw wedi ei werthu i'r Aifft fel caethwas a thrwy hynny mae o wedi ei bortreadu fel rhagflaenydd i Grist, sef yr un a werthwyd gan un o'i ddisgyblion ei hun i waredu ei bobl,' adroddodd y cyfan heb gymryd saib nac anadl.

'Nid yn yr ysgol feithrin y gwnest ti ddysgu hynna, Greta,' ymatebodd Iorwerth.

'Na, mae hwnna'n dod o gyfnod efengylaidd mam ac o gael fy nysgu adra gan y fam efengylaidd.'

Roedd gan Greta'r ddawn i roi terfyn ar bob sgwrs. Ni wyddai Iorwerth beth i'w ddweud nesaf. Gallai Greta gael yr un effaith â blwyddyn naw arno. Ond er hynny roedd o'n dal wedi gwirioni ar y ferch gwallt pinc llachar, mwy nag y gellid dweud am ei berthynas efo blwyddyn naw.

'Cyfnod efengylaidd ddwedaist ti? Rown i'n meddwl ei bod hi'n dal yn efengylaidd,' mentrodd Iorwerth barhau y sgwrs.

'Mae hynny yn dibynnu efo pwy mae hi'n siarad.'

Nid oedd Iorwerth yn deall.

'I chi sy ddim yn efengylaidd mae hi'n ymddangos felly. Ond i efengylwr pur, mae 'na amheuon yn ei chylch!'

Chwarddodd Iorwerth at grebwyll rhyfedd Greta.

Heddiw...

'Sori, Greta,' sibrydodd Bethan yn ofni i'w thad glywed.
   'Paid ag ymddiheuro am ei drin o fel person real.'
Brathodd Bethan ei gwefus isaf ac anadlu'n drwm.
'A phaid â dechrau mynd yn hunan dosturiol...'
'Pa ddiwrnod ydi hi?' daeth Iorwerth â'r ddwy yn ôl i realiti dydd Mawrth yn y Steddfod.
Ochneidiodd Bethan a gwenodd Greta arni'n gariadus,
'Pa ddiwrnod fasach chi'n lecio iddi fod, Yncl Iorwerth?'
Syllodd Iorwerth yn rhyfedd arni.
'Dydd Mawrth crempog,' atebodd gan ddechrau canu, 'Modryb Neli Nennog, os gwelwch chi'n dda, ga'i grempog?'
Ymunodd Greta yn y gân, 'Cewch chithau de a siwgwr gwyn, a phwdin lond eich ffedog. Modryb Elin Ennog, mae 'ngheg i'n grimp am grempog...'
Cyn bo hir roedd pabell Merched y Wawr i gyd yn canu.
'Mae Mam yn rhy dlawd i brynu blawd, a Siân yn rhy ddiog i nôl y triog a 'Nhad yn rhy wael i weithio. Os gwelwch chi'n dda, ga'i grempog?'
Roedd gwên ar wynebau pawb yn y babell ac Iorwerth yn eistedd yn gefnsyth a'i lygaid yn pefrio. Cydiodd Greta yn llaw Bethan a'i gwasgu'n dyner.
'Paid â phoeni, mae 'na haul ar fryn o hyd.'
'Dydd Mawrth crempog yn ddiwrnod da...' oedodd Iorwerth.

'Greta...' meddai Bethan, fel petai ar fin gwneud rhyw ddatganiad mawr.

'Greta. Greta?' dechreuodd Iorwerth chwarae ar y gair, ei adrodd drosodd a throsodd gan flasu'r gair, 'Greta *Yn ôl i Leifior* gan Islwyn Ffowc Elis.'

'Does dim rhaid i honno ddod efo ni i bob man, Yncl Iorwerth,' meddai Greta'n ddireidus.

'Does ganddon ni ddim crempog,' daeth un o Ferched y Wawr heibio, 'ond mae ganddon ni deisen gri,' meddai gan estyn plât i Iorwerth.

Nid atebodd Iorwerth, nid edrychodd arni hyd yn oed, dim ond syllu ar Greta.

'Diolch yn fawr,' neidiodd Bethan i'r adwy.

'Dwi ddim yn hoff o deisen gri,' ychwanegodd Iorwerth yn ddifalio.

'Gawn ni grempog fory efallai,' meddai'r wraig garedig, yna trodd at Bethan, 'Peidiwch poeni, deall yn iawn, mi ges i saith mlynedd debyg efo'Nhad. Daliwch ati.'

Pan awgrymodd Greta i Iorwerth y dylen nhw fynd i wrando ar yr ymryson yn y Babell Lên fe welodd Bethan. Ofnai y byddai digwyddiad tebyg i'r bennod yn Platiad. Roedd Greta a'i thad wedi mynd i eistedd, tra ei bod hi'n mynd i brynu bwyd. Penderfynodd Greta ddod i'w helpu i gario'r ddau hambwrdd a phan ddychwelodd y ddwy at y bwrdd, roedd Iorwerth wedi diflannu. Gwibiodd drwy'r drws i ganol y glaw fel petai mewn ras meddai ambell un. Ni wyddai Iorwerth beth oedd ymryson bellach ond roedd yn ddigon hapus i fynd yno, os oedd Greta'n mynd hefyd.

'Mi gawn ni seti wrth y drws,' cysurodd Greta.

Byddai Bethan yn fodlon iawn pe ceid Iorwerth i eistedd am ddeng munud o ymryson heb sôn am hanner awr neu fwy.

Ond unwaith iddyn nhw groesi'r maes dychwelodd ofnau Bethan, gan fod hen gyfeillion, a hen ffyddloniaid yr ymryson am ei gyfarch.

'Iorwerth, dda eich gweld chi.'

'Mr. Jones am roi tro ar englyn y dydd?'

'Iorwerth, sut hwyl sydd? Ddrwg gen i glywed am Margaret,' meddai Huw, cydnabod eisteddfodol achlysurol.

'Margaret?' ymatebodd Iorwerth.

'Ia, Margaret, y wraig. Rown i wedi clywed, ond yn methu dod i'r angladd, ac fe wyddost ti amdana i, fedra i ddim sgwennu llythyr cydymdeimlad tasat ti'n talu i mi.'

'Cydymdeimlad? Angladd?'

'Ar ôl i ti golli Margaret, roedd hi'n drysor.'

'Ond dydi Margaret ddim wedi marw siŵr.'

'Tydi'r cof ddim be oedd o,' camodd Bethan i'r adwy.

'O! mae'n ddrwg gen i,' ymatebodd Huw.

'Doeddech chi ddim i wybod siŵr,' meddai Bethan yn glên.

'Ydi Margaret wedi marw?' roedd sioc yn llais Iorwerth.

'Ydi, 'Nhad.'

Cronnodd dagrau yn ei lygaid a gwelwodd, 'Pryd?' meddai.

'Dau fis bellach, Iorwerth,' ceisiodd Greta leddfu'r boen.

'Ddim yn cofio ydach chi Nhad, y cof yn fregus.'

Nid ymatebodd Iorwerth, syllai yn syn i ryw wacter mawr ac roedd y dagrau'n llifo. Ni wyddai Huw Jones beth i'w ddweud na sut i ymateb. Trodd at Greta fel petai'n chwilio am loches.

'Wyddwn i ddim, wir yr.'

'Doedd dim modd i chi siŵr,' meddai Greta gan gydio ym mraich Iorwerth, 'dowch Yncl Iorwerth, beth am fynd i'r ymryson? 'Dach chi'n cofio ambell englyn go dda. Sut oedd honna am y banana yn mynd dwch? "Anlwcus o flaen y local" ia?'

'Eisteddfod y Barri os dwi'n cofio'n iawn,' trawsnewidiodd Iorwerth ei olygon ar amrantiad,

> 'Anlwcus! O flaen y Local – syrthiais
>   Yn swrth ar un feddal;
>   Syndod i'r Duwdod oedd dal
>   Hen sant yn horisontal.'

A dechreuodd Iorwerth chwerthin a Greta gydag o. Safai Huw yn gegrwth.

'Peidiwch poeni,' cysurodd Bethan ef, 'mae popeth yn newid bob eiliad.'

'A beth am hon wedyn, Margaret,' ychwanegodd Iorwerth, 'hon enillodd y flwyddyn wedyn yn y Fflint...'

'Ond sut mae o'n cofio'r englynion hyn, ond yn anghofio am Margaret?'

'Anghofio ei cholli hi mae o wedi wneud.'

'Dowch, Yncl Iorwerth,' meddai Greta, 'amser yr ymryson. Ydi honna yn gynghanedd dwch?'

'Nac ydi siŵr, Margaret bach, be haru ti dŵad?'

A dyma'r ddau i mewn i'r Babell Lên a Bethan ar eu hôl.

'Be ydi hwn, capel?' meddai mewn llais uchel.

Chwarddodd Greta gan daflu ei gwallt pinc llachar yn ôl. Estynnodd Iorwerth damaid o bapur o'i boced.

'Be sydd gynnoch chi, Yncl Iorwerth?' holodd Greta.

'Wn i ddim,' meddai yntau.

Cydiodd Greta yn y darn papur gwlyb a darllen y geiriau arno, '*Dach chi ddim yn cofio dim, ond mi ydw i... y bastard!* Gwelwodd Greta gan wasgu'r nodyn yn ei llaw.

'Be ydi o?' holodd Bethan yn synhwyro fod rhywbeth o'i le.

'Wn i ddim,' atebodd Greta gan roi'r belen bapur yn llaw Bethan. Agorodd hithau'r nodyn a'i ddarllen. Edrychodd ar Greta.

'O ble daeth o?'

'O'i boced o.'

'Pwy roddodd hwn i chi 'Nhad?'

Syllodd Iorwerth arni.

'Croeso gyfeillion i ymryson gyntaf yr wythnos...'

'Shhhhhhh!' meddai Iorwerth gan droi ei holl sylw at y llwyfan.

Echdoe...

Cyhoeddodd Iorwerth tua hanner awr wedi deg nos Sadwrn y byddai'n llesol iddyn nhw i gyd fynd am eu gwlâu er mwyn gallu codi i fynd i'r capel. Doedd Bethan ddim yn deall, gan nad oedd capel wedi bod yn rhan o'u bywyd cyn hynny. Bu rhyw fygwth ei hanfon i'r Ysgol Sul pan oedd yn iau, ond doedd fawr o argyhoeddiad yn y bwriad. Yn fuan iawn trodd bore Sul yn gyfle i'w mam arddio, yn ddarllen papur i'w thad ac yn slotian dioglyd yn y gwely iddi hi. Roedd yn ymddangos fod pethau am newid a mynd dros ben llestri rŵan eu bod wedi mudo i Dyddyn Bach.

Daeth bore trannoeth yn gynnar, am saith y bore roedd Iorwerth Jones yn gwneud tân yn y gegin, ac yn canu emyn hyd yn oed, yn benderfynol o osod ei hun yn y cyweirnod cywir ar gyfer y gweithgarwch dieithr newydd. Cyn pen dim roedd y tegell yn canu ar y tân ac Iorwerth eisoes wedi ceisio codi Margaret. Rhoddodd ei droed ar ris isaf ysgol y daflod.

'Dwi wedi deffro, Dad,' rhwystrodd Bethan ef rhag dod gam yn nes.

'Go dda, cod rŵan 'ta i ni gael brecwast cyn cychwyn am y capel.'

'Faint o'r gloch mae capel?'

'Oedfa sydd 'na... ond deg.'

'Newydd droi saith ydi hi!'

'Ond mae angen cerdded i'r capel, bydd rhaid cychwyn am naw.'

'Nac oes,' llais Margaret fel petai hi newydd gael gweledigaeth.

'Wel oes, mae o'n dair milltir bron â bod.'

'Y Ffyrgi bach,' ychwanegodd yn fodlon iawn ei byd.

'Y Ffyrgi bach,' ategodd Bethan. 'Brêns Margaret Jones, brêns!'

'Dwi ddim yn deall,' meddai Iorwerth.

'Ew, rwyt ti'n ara' deg a thitha'n athro ysgol, Dad.'

'Rwyt ti'n medru dreifio bellach, Iorwerth, dreifio'r Ffyrgi bach.'

'A mi allwn ni sefyll yn y bocs.'

'Ond i'r capel 'da ni'n mynd, nid i'r mart.'

'Paid â rwdlan, mi fydd yn ardderchog.'

A phenderfynwyd drwy bleidlais y bais na fyddai angen cychwyn tan hanner awr wedi naw, a gorweddodd y ddwy yn ôl yn eu gwlâu yn disgwyl am baned boeth gan Iorwerth.

Am bum munud ar hugain wedi naw, gyda Bethan yn goruchwylio, fe aeth Iorwerth ati i danio'r tractor bach. Ni bu fawr o drafferth, a chyn pen dim roedd ei sŵn cartrefol yn diasbedain o'r garreg ateb, a Mot yn credu mai gêm newydd oedd yn haeddu ras â'i gynffon oedd y fath rialtwch. Ymhen deg munud roedd y Ffyrgi bach yn troi a'r TVO a'r drindod yn barod am eu taith i'r capel, ac wrth i Iorwerth frathu ei wefus isaf gydag arddeliad fe gyrhaeddodd y Ffyrgi ben ei daith araf. Camodd Margaret a Bethan yn urddasol o'r bocs ar gefn y tractor.

Roedd hi'n dri munud i ddeg pan osododd Iorwerth ei fawd ar glicied swnllyd drws y capel. Gwthiodd y drws yn betrus, a pharlyswyd ef wrth iddo sylweddoli fod pawb yn syllu arno. Daeth arswyd drosto fel croen gŵydd oherwydd roedd drysau'r capel yn y pen blaen, un bob ochr i'r sêt fawr, ac nid yn y cefn fel ym mhob capel cyffredin. Roedd Ann Berllan Bella yn wên o glust i glust wrth eu gweld yn camu'n swil i mewn i awyrgylch fymryn yn stêl y capel. Yn ffrwcslyd iawn brysiodd Iorwerth i arwain y ddwy arall i'r sêt flaen gan mai hi oedd agosaf at y drws.

'Fe ganwn yr emyn cant a thrigain...' meddai'r hen ŵr a safai yn y pulpud. Estynnodd Ann lyfr emynau i'r tri, a chanodd y tri ar ddeg fel petaen nhw'n rhan o gôr o fil o leisiau. Chwiliai Bethan am ben nad oedd yn wyn neu'n foel, ond yn ofer, hyd nes iddi gymryd cip sydyn dros ei hysgwydd chwith a sylwi ar wallt pinc llachar, dwy lygad dywyll yn pefrio a rhes o ddannedd gwyn, gwyn yn fflachio arni. Ni allai goelio'i llygaid ei hun am eiliad. Pinsiodd ei hun yn feddyliol, cyn edrych eto. Winciodd perchennog y gwallt pinc arni, a gwenodd hithau'n llyweth yn ôl.

'Dwi'n siŵr ein bod ni fel cynulleidfa yn falch iawn o groesawu'r Parchedig...'

Drifftiodd meddwl Bethan yn ddigyfeiriad wrth i flaenor bychan eiddil yr olwg a chudyn o wallt unig yn cadw'i dalcen rhag noethni, fynd drwy'r cyhoeddiadau. Roedd Iorwerth ar y llaw arall yn gwrando'n astud ar bob gair.

'A dwi'n siŵr ein bod ni fel cynulleidfa yn falch iawn o groesawu Iorwerth Jones a Margaret a'u merch atom ni.'

Ni roddwyd enw iddi hi hyd yn oed.

'A hyderwn y byddant yn setlo'n fuan yn Nhyddyn Bach ac yma yn Soar. Fe wnawn y casgliad yn bresennol.'

A gwnaed y casgliad gan y ferch gwallt pinc llachar, mewn siwt las pin-streip a chrys a thei.

'Sut mae'r ferch'?' sibrydodd wrth Bethan wrth blannu'r plât casgliad o flaen ei thad.

Yna, gyda pharchusrwydd gweddus cariodd y plât casglu fel coron eisteddfodol a'i osod ar y bwrdd yn y sêt fawr, cyn troi a dychwelyd i eistedd wrth ochr Bethan. Doedd Bethan ddim yn gyfarwydd efo gwasanaeth capel, ond roedd cwmni'r ferch gwallt pinc yn sicr yn bywiogi'r profiad. Rhoddodd sylwebaeth lawn ar y bregeth.

'Daw'r testun y bore hwn o ddameg gyfarwydd iawn…'

'Achos 'mod i rhy ddiog i ddarllen tameidiau eraill o'r Beibl.'

'A dwi'n siŵr eich bod chi'n gyfarwydd efo'r stori honno am Spurgeon y pregethwr enwog…'

'Pregeth ladrad.'

'Ond beth yw ystyr y ddameg hon yn ein dyddiau ni? Beth mae'n orchymyn?'

'Pam gofyn i ni, 'dan ni'n talu iddo fo ddweud wrthon ni.'

'A beth am y bobl ifanc sydd ar ein strydoedd y dyddiau hyn…'

'Barod am slap…'

'Yn segura ac yn achosi pryder i…'

'Hen begors fel fi.'

Roedd bochau Bethan yn brifo wrth iddi geisio gwasgu'r chwerthin yn ôl i'w bol.

'Mae diffyg disgyblaeth pobl ifanc ein hoes…'

'Yn warthus, isio National…'

'… Service yn ôl sydd.'

Ac ar hynny fe ffrwydrodd y chwerthin o fochau cochion Bethan. Ceisiodd ei guddio gyda pheswch, ond trodd llygaid pawb i'w chyfeiriad, a theimlai fel petai tawelwch llethol dros y capel. Roedd llygaid ei mam yn llosgi dau dwll yn ei phen, ac roedd tristwch yn llygaid Iorwerth. Ond roedd y ferch gwallt pinc yn dal i sibrwd dan ei gwynt.

'Dyna chdi ar dy ben yn uffern.'

'Ond rhag i mi bardduo pawb…'

'Hynna yn *change*…'

'Diolch am weld y ddwy ferch ifanc yma yn ein plith y bore hwn, megis blaenffrwyth yr hyn sydd…'

'Dwi ddim yn flaenffrwyth…'

Gwyddai Bethan ei bod wedi darganfod rhywun a allai fod yn gwmni difyr iawn yn y ferch gwallt pinc yma.

'Greta ydw i gyda llaw,' sibrydodd.

Trodd Bethan i syllu arni.

'Greta?' meddai.

'Ia, dim Glesni Hydref na Blodwen Mererid, ddim mor anarferol â hynny.'

'Sori, na, meddwl am ryw Greta arall oeddwn i.'

'Be, oes 'na un arall heblaw y jolpan o *Cysgod y Cryman* y ces i fy enwi ar ei hôl hi?'

'Na.'

'O diolch byth, wedi arfer bod yr unig Greta yn y cyffinia.'

'Ac yn odli dy sgwrs.'

'Wrth gwrs.'

Gwenodd Bethan wrthi ei hun.

'Ac fe ganwn yr emyn tri chant a thri ar ddeg a phedwar ugain.'

'Panic ar yr organ – be ydi tri ar ddeg a phedwar ugain...'

'Three hundred and ninety three.'

'Pam y Saesneg?'

A chododd pawb i ganu.

Roedd 'na groeso brwd iawn i deulu Tyddyn Bach ar derfyn yr oedfa, ac arweinydd y croeso hwnnw oedd Ann Berllan Bella.

'O mae hi'n neis iawn eich gweld chi. Mi fydda'n chwith iawn gweld sêt Tyddyn Bach yn wag, gyrru ias w'chi. 'Dach chi'n setlo?'

'Ydan, diolch.'

'Ac yn hynod braf bod Bethan wedi dod hefyd. Rown i'n dweud wrth Greta bore 'ma, "Efalla y cei di gwmni yn y capel," ac roedd hi wrth ei bodd.'

'Wel ia...'

'Ac mi nath hi liwio'i gwallt yn sbesial heddiw, a dwyn siwt ei thad. Fel 'na mae hi, chi, wrth ei bodd yn bod yn wahanol, ond dweud fydda i, gwell bod hi yn y capel yn hytrach nag ar y tu allan, 'dach chi ddim yn meddwl?'

'Wel ia...'

'Nid' mod i'n rhy hoff o'r gwallt pinc 'ma, ond duwcs annwl

dwi'n cofio bod yn ifanc fy hun, a rown i'n gneud bob math o ddrygioni.'

'Tewch...'

'Diniwed wrth gwrs.'

'Wrth gwrs.'

'Fasa Bethan yn lecio dod acw am ginio?'

'Wel, basa'n well...'

'Pam na ddowch chi eich tri?'

'Wel, dim isio...'

'Na, dyna setlo hi, pawb i ddod acw i ginio. Lle mae'r car gynnoch chi?'

'Does gynnon ni ddim...'

'Brensiach annwyl, wnaethoch chi rioed gerdded o Dyddyn Bach. Er, erbyn meddwl, cerdded i bob man oedd yr hen Glad, ynte?'

'Na, mae'r tractor bach gynnon ni.'

'Tractor?' Roedd hynny yn ddigon i rwystro llif Ann hyd yn oed.

'Ia, wedi prynu Ffyrgi bach yn y sêl ddoe.'

'Dydi Iorwerth na finna ddim yn dreifio, neu doedd Iorwerth ddim yn dreifio tan ddoe.'

'Dowch chi ar y tractor felly, Iorwerth. Ga i alw chi'n Iorwerth?'

'Cewch siŵr.'

'Ac fe ddaw y merched yn y car efo fi.'

'Beth am i fi a Bethan ddod ar y tractor?' llais Greta yn ymyrryd yn llif geiriol di-ben-draw ei mam.

'Na, na, mi fydd popeth yn iawn.'

'Ond dwi wedi hen arfer gyrru tractor, Mam, a dydi Iorwerth...'

'Mr. Jones i chdi, Greta neu Yncl Iorwerth efallai?' meddai gan wenu ar Iorwerth.

'Dydi... Yncl Iorwerth ddim yn gwybod y ffordd.'

'Ia, Dad,' ymunodd Bethan yn y perswadio, 'be am i ni'n dwy ddod â'r tractor?'

'Wel...'

'*Deal*!' meddai Bethan mewn Saesneg annisgwyl iawn.

'Mae'n edrych yn debyg fod y ddwy yma wedi penderfynu,' ildiodd Iorwerth.

'Cymrwch ofal,' ychwanegodd Margaret, 'mae hi'n brysur ar y ffyrdd 'ma.'

'Mi wnawn ni siŵr.'

A gwahanwyd y teulu ar gyfer y daith i Berllan Bella.

Heddiw...

Roedd y ddeufis diwethaf wedi bod yn dipyn o sioc i Bethan a Greta ill dwy. Roedden nhw'n ymwybodol iawn fod cof Iorwerth wedi dirywio llawer iawn yn ystod y ddwy flynedd ddiwethaf. Ond, roedd Margaret wedi ei warchod yn gelfydd, yn union fel roedd hi wedi ei warchod pan ddeuai'r dyddiau du. Oherwydd fod mwy o le yn Berllan Bella tueddai'r ddwy i aros yno pan fydden nhw'n dychwelyd adref ar dro. Felly, rhyw ychydig oriau yn unig fydden nhw'n dreulio yn Nhyddyn Bach a byddai Margaret, bryd hynny, yn gwneud ymdrech fawr i greu ryw normalrwydd o'i gwmpas. Y felan fyddai'n cael y bai am ambell dawelwch mud, tra mai anghofrwydd fyddai achos colli gafael ar enwau pobl, a phenchwibandod cyffredinol fyddai ar fai am bopeth arall.

Eisteddai Bethan ar y wal o flaen Tyddyn Bach yn cofio ei mam. Yn Nhyddyn Bach roedd Margaret wedi darganfod hi ei hun, yn wir doedd hi ddim yr un un ers gadael y dref. Roedd Bethan wedi eistedd yn yr union fan yn rhyfeddu at allu ei mam i drin y Ffyrgi bach a'i gwylio'n anwylo'i chnydau yn y Cae Dan Tŷ. Gallai dyfu unrhyw beth a gwneud hynny gyda graen. Byddai'r cae yn un dilyw o arogleuon hyfryd drwy'r flwyddyn, y gornel perlysiau yn gorlifo o arogleuon y *mint*, y *coriander*, y parsli, y *chives* a hyd yn oed danadl poethion, er eu bod wedi colli Margaret bellach.

'Mae i'r rheini eu gwerth hefyd, wyddost ti? Waeth i ti heb ag edrych mor amheus, rwyt ti newydd ei fwyta fo yn y stiw cig eidion gest ti rŵan,' atseiniai llais ei mam yn y cof.

Echdoe...

Deffrodd Margaret yn blygeiniol, prin ei bod hi wedi goleuo. Ond doedd Margaret yn poeni fawr am hynny, roedd ganddi waith paratoi. Felly cododd, heb falio botwm os oedd hi'n deffro pawb yn y tŷ. Roedd hwn yn ddiwrnod o bwys.

Cafodd Iorwerth ei ddeffro gan symudiadau trwm a thrwsgl ei wraig, ond ni chymerodd arno fod dim yn tarfu arno. Gorweddodd yn llonydd, llonydd a gwrando ar y bore'n deffro o'i gwmpas. Mot yn cyfarth, adar yn canu a Margaret yn clecian llestri ac yn tincial cyllyll a ffyrc, y tegell yn dechrau canu, ond doedd gan Iorwerth mo'r awydd lleiaf i symud o'i wely. Roedd pob sŵn deffro fel petai yn ei gloi yn fwy bodlon yn ei chwarter cwsg dioglyd. Gwnâi pob arwydd o egni iddo deimlo'n wan, ac roedd brwdfrydedd Margaret yn ei lethu. Penderfynodd na fyddai'n codi y bore arbennig hwn, gan na welai Iorwerth Jones ei hun fel aelod o gomiwn Tyddyn Bach.

'Iorwerth... Iorwerth...' galwodd Margaret.

Gwasgodd Iorwerth y cwilt yn dynnach am ei ben, a theimlo meddalwch cynnes y cotwm ar ei foch.

'Iorwerth, Iorwerth, deffra!'

Penderfynodd y byddai rhaid mynd drwy'r perfformiad angenrheidiol. Ochneidiodd fel creadur yn hanner deffro.

'Iorwerth, tyrd neno'r tad!' Bellach roedd Margaret yn sefyll uwch ei ben.

'Be?' mwmiodd yn swrth.

'Amser codi. Tyrd, 'dan ni am agor rhychau heddiw.'

'Codi? Pam?'

'Er mwyn agor rhychau yn y cae.'

'Oes rhaid ei wneud o heddiw?'

'Be sy? Wyt ti'n sâl?'

Roedd Iorwerth wedi ei dychryn braidd. 'Na, na... dim ond gofyn.'

'Gan bo chdi'n gofyn – oes mae rhaid.'

'Fedri di wneud o hebdda fi?'

'Paid â gofyn cwestiwn twp, dwi dy angen di i yrru'r Ffyrgi bach.'

'A be wyt ti'n wneud?'

'Wel dal cyrn yr arad, wrth gwrs. Tyrd, cod'

'Fawr o awydd.'

'Fawr o awydd,' cododd Margaret ei llais fel corn niwl, ' fawr o awydd! Mae Gareth wedi rhoi oriau o waith yn paratoi'r cae 'na i ni, heb ddima o dâl, a rwyt ti...'

Nid atebodd Iorwerth.

'Be sy'n bod arnat ti?'

'Dim... dim byd.'

''Dan ni wedi chwyldroi'n bywydau, rwyt ti wedi gadael yr ysgol, 'dan ni wedi symud i Dyddyn Bach a gadael yr hen gartre a'r cymdogion, 'dan ni'n mentro popeth... ond pan mae isio codi, does gen ti ddim awydd? Dim awydd... wyt ti'n meddwl mai ar fympwy mae gwneud i Dyddyn Bach lwyddo?'

Erbyn hyn gallai Bethan glywed y dadlau yn y daflod uwchben. Doedd hi ddim wedi clywed ei rhieni'n ffraeo o'r blaen, er na chlywsai fawr o gyfraniad gan ei thad.

'Does dim rhaid gwneud popeth ar frys. Mi gawn ni blannu popeth yn y gwanwyn, hydref ydi hi rŵan, does 'na ddim i'w hau rŵan.'

'Dim i'w hau, wyt ti'n gwybod unrhyw beth am blannu?'

'Dwi'n gwybod mai gwanwyn ydi'r amser...'

'A thithau'n ddyn galluog: rargian rwyt ti'n dwp.'

'Dos dim angen hynna.'

'Mae angen rhywbeth i dy ddeffro di, achos mae 'na lu mawr o gnydau gaeaf sy'n gweiddi am eu plannu.'

'Ond...'

'A fedran nhw ddim cerdded i'r cae a neidio i mewn i rych.'

'Sgen i ddim awydd.'

'A sgen inna ddim awydd dadlau efo llipryn mor ddiog. Bethan!' Trodd ei sylw i gyfeiriad y daflod.

'Ia, Mam.'

'Fedri di ddreifio'r tractor 'na?'

'Am wn i, dwi wedi gweld 'Nhad a Greta yn ei yrru o.'

'Ardderchog, tyrd i roi help llaw i mi agor rhychau yn y cae, wnei di, peth gwael?'

Doedd ganddi hithau fawr o awydd codi o'i gwely cynnes ychwaith, ond ni allai gyfaddef hynny.

'Pam bod 'Nhad ddim yn gwneud?'

'Iorwerth, esbonia i dy ferch...'

Llanwyd y tŷ gan dawelwch digon annifyr, ond nid atebodd ei thad. Gwrandawodd ar y tawelwch, gan ysu iddo ddod i ben. Gobeithiai nad dechrau dyddiau du oedd hyn. Roedd y tegell i'w glywed yn berwi ar y tân.

'Gawn ni baned cyn dechrau?' llanwodd Bethan y gofod.

'Cawn siŵr. Gwisga hen ddillad.'

'Iawn, Mam.'

* * *

Roedd y Ffyrgi bach wedi ei danio, ac o ganlyniad roedd 'na aroglau TVO drwy'r buarth, a pheswch ei injan i'w glywed ymhell drwy'r gymdogaeth. Eisteddodd Bethan ar y tractor gan geisio cofio sut roedd Greta wedi trin y peiriant. Gwyddai fod un pedal yn frêc a'r llall yn glyts, ond p'run oedd p'run? Pwysodd y droed dde i lawr, yna ceisiodd symud y gêr, ond daeth sŵn fel ysgyrnygu dannedd o grombil yr injan. Pwysodd y pedal chwith a symudodd y gêr yn rhwydd i'w lle, yna gan gofio pa mor rhwydd roedd Greta wedi cychwyn ei thaith, cododd ei throed chwith a llamodd y tractor bach ymlaen i gyfeiriad wal y beudy. Daeth sgrech o enau Bethan, a chyda'i llygaid yn llawn arswyd safodd yn ffyrnig ar y ddau bedal a daeth y Ffyrgi bach i stop arswydus o sydyn. Ochneidiodd Bethan. Nid oedd tractor mor rhwydd i'w yrru ag y tybiodd. Cymerodd anadl go nobl, yna fodfedd wrth fodfedd cododd ei choes chwith oddi ar y pedal, a dechreuodd y tractor symud ymlaen yn esmwyth.

Gollyngodd Bethan ochenaid fechan o ryddhad wrth sylweddoli bod symud yn araf yn ei galluogi i droi'r olwyn, a chyfeirio trwyn y tractor tua'r giât. Felly, penderfynodd dreulio munud neu ddau yn gyrru'r tractor bach o gwmpas y cae bach, er mwyn dod i arfer â throi'r llyw, stopio ac ailgychwyn. Ymhen deg munud teimlai ei bod yn dechrau cael gafael ar bethau, a'i bod yn awr yn barod i fentro i Cae Dan Tŷ ac i agor rhychau.

Safai Margaret yn yr ardd o flaen y tŷ, yn edmygu'r ffordd roedd Bethan yn llywio'r tractor, a'r amynedd oedd ganddi i geisio cael rheolaeth arno. Ceisiodd Bethan osod y tractor cyn agosed ag y gallai at yr aradr, oherwydd ni allai freuddwydio sut i yrru'r anghenfil at yn ôl. Daeth y tractor i stop a daeth Bethan a'i mam at flaen yr hen aradr rydlyd. Roedd cryn dair llath o bellter rhwng y naill a'r llall. Ceisiodd y ddwy lusgo'r aradr yn nes, ac er nad oedd dim trafferth gwneud hynny ar lecyn caled, unwaith y daeth i'r cae diflannodd blaen y swch i'r pridd meddal, a phrin y gallai'r ddwy ei symud fodfedd ymhellach. Bu'r ddwy yn dyfalu'n hir cyn i Bethan benderfynu mai cadwyn hwy oedd angen, roedd angen cadwyn neu raff dair neu bedair llath. Cafwyd rhaff a chlymwyd yr aradr, a gâi ei thynnu gan geffyl gynt, at y Ffyrgi bach llwyd, ac roedd popeth yn barod. Safodd Margaret gan gydio yng nghyrn yr aradr. Dringodd Bethan ar gefn y tractor.

"Dach chi'n iawn?'

'Ydw.'

'Gwaeddwch os 'dach chi isio i mi stopio.'

'Siŵr o wneud.'

'Be sydd isio fi wneud?'

'Gyrru'r tractor ar hyd y cae!'

'Ond i ble?'

'Mae Gareth wedi gosod marc. Weli di'r ffon bambŵ 'na efo fflag wen arni, llywia'r tractor yn syth bin i gyfeiriad honna.'

'Ti'n barod, Mam?'

'Ydw, yn bendant,' meddai.

Gosododd Bethan y tractor yn ei gêr, a chododd ei throed chwith yn araf, a rhoes y tractor hergwd ymlaen. Doedd Margaret ddim yn barod, neidiodd cyrn yr arad allan o'i dwylo, a dechreuodd y tractor lusgo'r arad gerfydd ei hochr i ganol y pridd coch.

'Stop! Stop!' gwaeddodd ei mam.

'Cychwyn dipyn bach yn arafach, plis.'

'Ok.'

'Mae o'n andros o job dal gafael yn y peth 'ma.'

Yna, gyda gofal mawr, ac wedi cau'r sbardun dyma Bethan yn cychwyn unwaith yn rhagor. Er bod yr aradr yn amlwg yn drwm iawn i Margaret, roedd golwg benderfynol ar ei hwyneb, ei llygaid yn gloywi, ei cheg yn gilagored a'i thafod wedi ei wasgu rhwng y ddwy wefus. Roedd trwyn yr aradr yn mynd i bob cyfeiriad a Margaret yn methu'n glir â'i chadw i greu rhych syth. Roedd y cyfan yn edrych yn reit gomig, Margaret yn troedio'n ofalus yn amlwg yn ceisio osgoi cerdded ar y pridd a daflai'r arad y naill ochr i'r rhych, a'r Ffyrgi bach yn tuchan ei ffordd yn hynod araf i ben draw'r cae. Roedd 'na ambell ebwch, ac ambell waedd, ond roedd Margaret yn gwbl styfnig ei bod am gyrraedd y pen draw. Daeth y daith hir i ben, ochneidiodd Margaret, cyn troi i gymryd golwg ar y gwaith. Nid hon oedd y rhych y tybiai iddi ei hagor, nid rhych fel pren mesur oedd hi ond llanast crwydrol.

'Drapia!' gwaeddodd.

'Be sydd?' gofynnodd Bethan yn ddiniwed.

'Sbia cam ydi hi. Mae fel rhyw bry genwair wedi marw.'

'Be ydi'r ots? Ydi llysiau yn tyfu'n wahanol mewn rhych gam?'

'Na, ond...'

'Gawn ni fod yn gomiwn y rhychau cam.'

'Rhai siâp cryman.'

'Yr unig broblem ydi lle dwi'n dreifio'r tractor ar gyfer y rhych nesa. Felly ti oedd yn iawn, mae angen rhychau syth.'

'Er mwyn osgoi gwastraffu tir.'

'Biti hefyd,' meddai Bethan a'i llygaid yn ddireidi i gyd. 'Gwell dechrau o'r dechrau eto?'

'Ydi, decini. Well i mi drio cael gwell siâp ar bethau.'

A dyna fu hanes y diwrnod i'r ddwy, llusgo'r arad i fyny ac i lawr y cae, yn ceisio creu rhychau syth. Margaret yn gwbl benderfynol, a Bethan yn gyrru'n araf ond yn amyneddgar, yn arogli pridd newydd ei drin yn gymysg â'r aroglau TVO. Erbyn y trydydd tro i Bethan yrru lawr y cae, roedd y cyfan yn llethol o ddiflas, ond roedd Margaret erbyn hyn bron yn cofleidio cyrn yr aradr, ac yn llwyddo yn rhyfeddol i gael rhych gymharol syth. Gwyliodd Bethan sgwarnog yn llechu wrth fôn clawdd y cae nesa. Gwenodd wrth feddwl am y creadur yn cael gwledd yn y rhychau hyn, yn ystod y misoedd nesaf. Tybiodd iddi weld rhywbeth yn symud yn y llwyn wrth y nant, gweddill teulu'r sgwarnog, debyg.

Gwrandawodd Iorwerth ar y grŵn cyson o'r Cae Dan Tŷ, y Ffyrgi bach yn bwyllog deithio'n ôl a blaen ar hyd y cae. Ambell dro deuai gwaedd gan Margaret, a chlywid ambell ebwch, cyn bod gorchymyn Margaret, 'dos' yn atsain yn y garreg ateb, a'r Ffyrgi bach i'w glywed yn tynnu eto. Roedd y synau hyn yn pasio heibio iddo fel sŵn gwynt yn y coed, neu gar yn gwibio ar y ffordd tu ôl i'r tŷ. Nid oedd a wnelo Iorwerth Jones â dim o'r rhain.

Heddiw...

Iorwerth fyddai yn ateb y ffôn bob amser, roedd hynny'n ddefod yn Nhyddyn Bach. Pan fyddai Bethan gartref ac yn ateb byddai hi'n creu chwithdod efo'i hatebion hurt, a doedd Margaret erioed wedi hoffi siarad ar y ffôn. Felly, ar y bore hwnnw am chwarter wedi wyth, Iorwerth atebodd y ffôn yn ffurfiol fel arfer.

'Tyddyn Bach, bore da.'

'Bore da, 'Nhad.'

'Bore da. Wyt ti eisiau gair efo Margaret?'

O gofio, nid oedd yn cyfeirio at Margaret fel 'dy fam' ers rhai misoedd.

'Sut 'dach chi?'

'Dwi'n ardderchog diolch,' yna tawelwch mud, 'pa ddiwrnod ydi hi?'

'Mae hi'n ddydd Mawrth, 'Nhad.'

'Ardderchog.'

'Ydi Mam yna?'

'Mi af i'w 'nôl hi rŵan.'

Bu oedi hir, a phrin fod sŵn i'w glywed yn y tŷ. Parodd hynny gryn anesmwythyd i Bethan. Gwyddai fod rhywbeth o'i le.

'Tydi Margaret ddim yn dda. Mae hi yn ei gwely.'

'Wnewch chi fynd â'r ffôn ati i mi?'

Syllodd Iorwerth ar y ffôn yn ei law heb amgyffred nad oedd cordyn arni.

31

'Wrth gwrs, ardderchog.'

Cerddodd yn seremonïol bron i'r ystafell wely a gosod y ffôn wrth glust corff Margaret.

'Mam?' Ni ddaeth smic yn ôl. 'Mam, Bethan sydd yma. Mam?… Mam? Ydach chi'n iawn?'

'Be sy'n bod?' holodd Greta, ei phaned o goffi du yn nythu yn ei dwrn.

'Mam, dydi hi ddim yn ateb.'

'Lle mae Yncl Iorwerth?' gofynnodd Greta.

'Dydi o ddim yn deall…'

'Gad i mi drio.' Rhoddodd Bethan y ffôn i Greta.

'Iorwerth,' galwodd, 'Yncl Iorwerth… Yncl Iorwerth,' gwaeddodd yn uwch. 'Yncl Iorwerth, Greta sydd ma… helô… helô.'

'Does gan Margaret fawr ddim i'w ddweud heddiw,' meddai Iorwerth yn swta ffurfiol o'r ochr arall, 'ta ta.'

'Yncl Iorwerth, arhoswch…' ond roedd y ffôn wedi ei ddiffodd. Ailddeialodd Greta rif Tyddyn Bach yn syth bin.

Canodd y ffôn a hithau yn dal yn llaw Iorwerth. Nid oedd yn deall pam na sut y gallai hynny ddigwydd. Syllodd ar y peiriant yn ei law. Syllodd ar y crud gwag ar silff y ffenestr. Syllodd ar Margaret yn ei gwely yn y siambr. Taflodd y ffôn ar lawr fel petai wedi cael sioc drydanol gan ail ganiad y ffôn. Ond, ni thawodd y peiriant. Eisteddodd yn ei gadair wrth y tân. Ond ni thawodd y peiriant. Gosododd ei ddwylo dros ei glustiau, cododd ei bengliniau at ei ên a'u gwasgu'n dynn, dynn, ac o'r diwedd fe dawodd y peiriant. Yn araf bach, tynnodd ei ddwylo oddi ar ei glustiau, yn ofni i'r peiriant ddechrau canu eto. Gollyngodd ei goesau i lawr yn araf. Roedd o eisiau bwyd. Ond doedd dim golwg codi ar Margaret. Cododd, rhoes gic i'r peiriant i'r gornel dywyllaf o dan y setl. Aeth i'r gegin a syllodd ar y bwrdd gwag gyferbyn â'r sinc. Penderfynodd wneud paned, syllodd ar y tegell, gwyddai fod angen gwneud rhywbeth iddo. Safodd yno am rai munudau. Yna byseddodd ochrau'r tegell, ei fysedd meinion yn chwilio am rywbeth y dylai ei wneud i'r tegell. Yna, yn wyrthiol roedd golau coch wrth din y tegell a sŵn rhyfedd yn dod o'i grombil. Roedd y tegell yn... yn... canu. Gwenodd. Estynnodd fŵg oddi ar y silff uwchben y tegell. Ond roedd yn dal yn llwglyd. Trodd at y potyn pridd mawr â Bara wedi ei ysgrifennu arno gan estyn torth o'i grombil. Byddai Margaret yn gwneud rhywbeth gyda'r dorth... ond penderfynodd rwygo tamaid o fara iddo'i hun. Roedd y tegell yn gwneud sŵn poeri a hisian dychrynllyd erbyn hyn, penderfynodd ei anwybyddu a chael diod o ddŵr yn lle'r baned. Felly, gyda mygiad o ddŵr yn un llaw a llond dwrn mawr o fara yn y llall aeth i eistedd wrth y bwrdd. A dechreuodd y peiriant ganu eto. Aeth ar ei bedwar dan y bwrdd i chwilio am y peiriant coll ac wedi ei ddarganfod, eisteddodd dan y bwrdd ac yn y fan honno yr atebodd y ffôn.

'Tyddyn Bach, bore da i chi.'

'Yncl Iorwerth, 'dach chi'n iawn?'

Ni wyddai Iorwerth pwy oedd ar y ffôn.

'Ardderchog, diolch i chi am ofyn.'

'Ydi Anti Margaret yn iawn?'

'Ydach chi eisiau siarad efo Margaret?'

'Na, ddim y funud yma, Yncl Iorwerth.'

'O!'

'Ydi Anti Margaret yn ei gwely, Yncl Iorwerth?'

'Ydi.'

'Ydi hi'n sâl, oes eisiau doctor?'

'Doctor doctor, pigyn yn fy ochor,
Well gen i roi pwmp o rech

Na thalu chwech i'r doctor.'

'Da iawn, Yncl Iorwerth. Ydi Anti Margaret yn gallu siarad?'

''Dach chi eisiau siarad efo Margaret?'

'Na, nac oes, Yncl Iorwerth.'

'Ydi hi'n iawn, Greta?' Roedd Bethan ar bigau'r drain.

'Ydi Anti Margaret yn gallu symud?'

'Na. Mae hi'n oer a dwi wedi rhoi... peth drosti.'

'Reit, Yncl Iorwerth, mi fydd Mam yn galw heibio...'

'Mam?'

'Ann Berllan Bella. Fedrwch chi agor drws ffrynt plis pan ddaw hi.'

'Agor drws ffrynt. Faint o'r gloch ydi hi?'

'Tua hanner awr wedi wyth.'

'O! Brecwast rŵan,' a diffoddodd y ffôn yn ffwr bwt.

Roedd Greta wedi ffonio ei mam pan ddiffoddodd Iorwerth y ffôn y tro cyntaf ac roedd Ann Berllan Bella ar y ffordd i Dyddyn Bach. Hi dorrodd y newyddion i Bethan am farwolaeth dawel ei mam. Fe ddaeth y meddyg yntau a chadarnhau iddi gael trawiad yn ystod y nos a marw'n dawel. Doedd dim modd symud Iorwerth o Dyddyn Bach. Gwyddai fod rhywbeth wedi digwydd, er na allai amgyffred beth oedd hynny.

Greta yrrodd yr holl ffordd gartref, dair awr a hanner o siwrnai, a chyrraedd ddechrau'r pnawn. Roedd yna groeso mawr i Greta fel arfer. Ond prin oedd y croeso i Bethan. Fe fu hynny'n loes iddi am sbel hir. Ond ar yr un pryd, gwyddai nad o ddewis roedd ei thad yn ymddwyn fel y gwnâi.

Roedd trefniadau'r angladd yn hynod debyg i angladd Anti Glad druan, modryb Iorwerth.

Echdoe...

Yn Nhyddyn Bach y bu angladd Anti Glad. Roedd pawb yn deall pam. Er cyn bwysiced oedd capel bach Soar iddi, ac er iddi eistedd yn ffyddlon yn y drydedd sêt tu ôl i'r organ am ddegawdau, yn Nhyddyn Bach y dymunai Anti Glad gael ei chofio. Cafodd Bethan ei dychryn wrth weld yr holl geir yn cyrraedd ac awgrymodd Ifan Tŷ Nant y dylai agor y giât i gae Tan Beudy a dyna a wnaed. Roedd hi fel steddfod neu sioe yno a llif cyson o geir y fro yn clwydo'n rhesi taclus ar ymyl y cae wrth i'r haul dywynnu, er bod 'na gwmwl du go hyll yn bygwth uwchben y Garn. Penderfynodd Jôs y gweinidog y byddai o'n sefyll yn y drws ffrynt i gynnal y gwasanaeth, wedyn gallai'r dyrfa yn y buarth a phawb oedd yn y tŷ ymuno yn yr oedfa. Eisteddai Iorwerth a Margaret ar gadeiriau o boptu'r tân o leiaf hanner awr cyn y gwasanaeth, tra crwydrai Bethan y tŷ, y buarth a'r cae gan sicrhau fod pawb yn cael croeso a'u bod yn deall y drefn.

Rhyfeddai Bethan at y bobl oedd yn cyrraedd Tyddyn Bach: ffermwyr yn eu Land Rovers newydd sbon, ffermwyr mewn hen Land Rovers, ffermwyr yn eu BMW a ffermwyr Ford Escorts rhydlyd. Roedd 'na ffermwyr oedd wedi hen arfer gwisgo crys a thei, ac eraill nad oedd crys na thei wedi bod yn agos iddynt ers yr angladd diwethaf. Troediai rhai merched yn hyderus ar draws y cae, tra bod eraill yn pigo mynd fel ieir cysetlyd a'r cyfan yn ymgasglu'n un haid ddu ar yr iard, fel y cwmwl du uwchben y Garn. Siffrwd siarad oedd i'w glywed, sgwrs ofnus a gorbarchus cyn i Gruff Tu Hwnt i'r Afon gyrraedd. Gan fod Gruff yn fyddar mewn un glust, roedd yn anymwybodol ei fod yn gweiddi siarad bob amser, ac nid oedd angladd Glad yn eithriad. Fe fu Gruff a Glad yn eitem flynyddoedd maith yn ôl, partneriaeth na fyddai byth wedi para. Roedd y naill fel y llall yn torri eu cwys eu hunain, ac er mor debyg y gŵys, cwys yr un oedd ganddynt.

'Dew sut wyt ti, was? Mae 'na griw yma,' oedd ei gyfarchiad ar ymyl y dorf. Gwenodd Bethan, gwenodd wên Anti Glad.

'Chwith meddwl am Glad druan. Lle mae Iorwerth a Margaret... o wela i. Ydi Beth yma?'

Gruff oedd yr unig un a fyddai'n galw Bethan yn Beth. Gwenodd ei gwên ei hun, a gadael i'w eiriau lapio amdani'n dynn.

Nid oedd Bethan am eistedd, teimlai rhyw aflonyddwch drwyddi. Ceisiodd Dic Saer ei hargyhoeddi mai peth da fyddai iddi ddod i'r tŷ wrth i amser dechrau'r gwasanaeth nesu, ond doedd dim yn tycio. Felly, yn hytrach nag eistedd ar y setl gyda'r teulu bach, dewisodd Bethan eistedd ar y wal gerrig gerllaw cwt Mot, troi ei chefn ar Dyddyn Bach, a syllu'n syn i lawr at Cae Isa a'r llwyn coed yn y cwm islaw. Gwthiodd Mot ei drwyn oer i gledr ei llaw, a gwrandawodd y ddau ar eiriau llyfn Jôs y gweinidog, yn sôn am ffyddlondeb, am berthyn, ac am anwyldeb. Ceisiodd y ddau chwilio am Anti Glad yn y ffrwd lleferydd, ond doedd hi ddim yno.

Yn y tŷ, wrth y grât du, a hwnnw wedi ei flacledio gan ddwylo dieithr, y ddwy sosban a'r tegell oedd yn llenwi sylw Margaret. Roedd y tegell mawr yn bygwth canu'n barod ar y ceiniogwerth o dân yn y grât. Ar y bwrdd, roedd popeth yn barod, y llestri tseina gora, brechdanau caws a ham, cacennau, sgons a bara brith, a jam a tsiytni Anti Glad – popeth yn ei le, fel petai Glad ei hun wedi ei baratoi.

'Myfi yw'r atgyfodiad a'r bywyd, pwy bynnag sy'n credu ynof fi...' meddai Jôs gweinidog yn hanner gweiddi er mwyn i bawb tu allan ei glywed.

A gallai Margaret weld Anti Glad yn ei brat blodeuog a'i welingtons yn sefyll wrth y bwrdd.

'Gymwch chi de? Neu frechdan bach dena? Neu beth am sgon? Hwdwch, cydiwch ynddo fo, peidiwch â bod yn swil.'

'... er iddo farw a fydd byw. A phwy bynnag sy'n fyw...'

'Mi wna i baned ffresh, dim byd gwaeth na ryw hen de wedi stiwio, hen flas chwerw arno fo.'

'Ac yn credu ynof fi, ni bydd marw byth.'

A chafodd Margaret ei hun yn procio'r mymryn tân o dan y tegell, tra bod Jôs yng nghanol ei ddarlleniad.

'Wyt ti'n credu hyn?'

A phrocio fu Margaret efo un llaw a sychu dagrau efo'r llall.

Pwysai Iorwerth ymlaen ar fraich dde ei gadair, fel petai am gipio pob gair a ddeuai o enau'r gweinidog a'u gosod mewn blwch taclus i'w cadw am byth. Roedd ei wyneb yn llwyd, a'i dalcen wedi ei grychu, fel petai'n stryffaglio i ddeall meddwl y pregethwr. Ymddangosodd gwên ar wyneb pawb wrth iddo sôn am ei thafod chwim a'i ffraethineb cynnes, ond nid ar wyneb Iorwerth. Ni allai oddef i Jôs y gweinidog droi angladd Anti Glad yn gyfle iddo ef berfformio i'r dyrfa fawr oedd yno. Roedd am i ddwyster ei cholli a hiraeth y dyrfa fod yn llethol. Dylai fod yn baglu ar draws ei eiriau ac yn ceisio cuddio'i ddagrau yn wyneb y golled – nid llwyfan digrifwr oedd pulpud angladd.

Y farn gyffredin oedd bod hwn yn angladd da. Roedd Jôs y gweinidog bach ar ei orau, yn ôl Ifan Tŷ Nant, ac roedd hyd yn oed Gruff Tu Hwnt i'r Afon wedi ei blesio efo'r coffâd i 'rhen Glad'. Roedd haul Medi yn gynnes, gynnes, blas arbennig ar y te, ac roedd y brechdanau a'r cacennau, heb sôn am y tsiytni a'r jam, wedi plesio pawb. Coron ar ddigwyddiadau'r dydd oedd y darten riwbob.

'Wrth y te y mesurir di,' meddai Dic Saer yn smala.

Gwenodd Margaret yn fodlon ei byd. Digiodd Iorwerth wrtho am fod mor amharchus a hynny yn angladd Anti Glad. Ond chlywodd Bethan odid ddim am na theyrnged na the. Eisteddai ar y wal yn mwytho Mot, y ddau fel dau damaid o froc môr wedi eu gadael gan y llanw.

Erbyn gyda'r nos, roedd y cae yn wag, y giât wedi ei chau a dim ond olion ambell olwyn wedi gwasgu'r borfa i ddynodi lle bu'r dyrfa. Roedd bwrdd y gegin wedi ei glirio, ac *oilcloth* Anti Glad yn ymddangos yn anaddas o liwgar ar noson yr angladd. Eisteddai Iorwerth a Margaret o boptu'r tân fel roedden nhw yn yr angladd a Bethan ar y setl a'i chefn at y drws wrth dalcen y bwrdd. Bellach, roedd pobman yn dawel, clindarddach y te angladd wedi hen gilio, a'r tri fel ei gilydd yn fud. Wrth i'r cloc dician, ochneidiodd Margaret a phesychodd Iorwerth fel petai ar fin gwneud cyhoeddiad.

'Brensiach annwyl, 'dach chi am ddechrau pregethu?', holodd Bethan.

'Na, dwi ddim yn meddwl.'

'Wel mi ddylach efo peswch fel 'na, a fasach chi'n gwneud gwell job o gofio Anti Glad nag a wnaeth Jôs bach.'

'Mi wnaeth ei orau,' achubodd Margaret ei gam.

'Ond doedd ei orau fawr o beth, 'ta,' ochneidiodd Iorwerth.

Syllodd y ddwy arno, gan nad oedd 'run wedi arfer clywed Iorwerth yn brathu. Setlodd y tri yn ôl i'w tawelwch eu hunain.

Heddiw...

Nid yr un dorf ag a welwyd yn angladd Anti Glad oedd yn angladd Margaret. Teulu Berllan Bella wrth reswm, ambell gymydog, criw bychan capel Soar, ynghyd â chymwynaswyr cymdeithas y pentref.

'Mi fydd colled mawr ar ei hôl hi!' oedd cyfarchiad amryw.

Nid oedd angen i Jôs gweinidog sefyll wrth y drws y tro hwn. Safodd â'i gefn at ddrws y siambr. Eisteddai Iorwerth yn ei gadair wrth y tân, Bethan ar stôl deirtroed wrth ochr ei thad a Greta yng nghadair Margaret gyferbyn â hwy. Safai y mwyafrif o'r gweddill o gwmpas y portsh, yn nrws y gegin fach, ac ambell un yn y gegin.

'Faint ydi hi o'r gloch?' holodd Iorwerth yn uchel.

'Mae hi'n ddau,' atebodd Bethan.

Anniddigodd Jôs gweinidog gan feddwl fod Iorwerth am iddo ddechrau.

'Be mae'r bobl 'ma i gyd yn ei wneud?'

'Angladd Mam,' sibrydodd Bethan.

'Ydi Mam wedi marw?'

'Ydi, 'Nhad.'

'Bechod,' oedd ymateb Iorwerth.

Teimlai Bethan ei hwyneb yn cochi a llygaid pawb arni ac ar ei thad. Cafodd yr hyn roedd ei mam wedi brwydro i'w gadw'n gudd ei wneud yn hynod gyhoeddus yng nghegin Tyddyn Bach. Gwnaeth Jôs gweinidog ei orau i gofio Margaret.

Adnabu Bethan frawddegau cyfan a blannwyd mewn sgwrs hir rhyngddo a Greta. Pan fyddai Greta'n dweud, roedd Jôs gweinidog wedi hen arfer ymateb yn ufudd. Ond, a bod yn deg, chwedl Ann Berllan Bella roedd o wedi dod i adnabod Margaret yn bur dda. Wedi'r mudo mawr i Dyddyn Bach roedd Iorwerth a Margaret wedi ymdaflu'n llwyr i fywyd y pentref. Byddai Margaret yn ffyddlon yn Soar, yn Merched y Wawr, yn y Cylch Llenyddol ac ym mhwyllgor y steddfod a'r sioe heb sôn am bwyllgor y neuadd ac ymhlith criw cystadleuaeth y pentref taclusaf. Felly yn anorfod roedd llwybrau Jôs a Margaret wedi croesi sawl gwaith.

Doedd Bethan na Greta ddim wedi amgyffred pa mor ddrwg oedd cyflwr Iorwerth. Mynnai siarad yn uchel tra bod Jôs yn ceisio darllen, gweddïo a thalu teyrnged.

'Pwy ydi honna wrth y drws, mewn... mewn pethma du, honna efo sbectol? A phwy ydi hwnna wrth ddrws y gegin fach, hwnna efo bol fel bwrdd o'i flaen?'

Ceisiodd Bethan ei anwybyddu. Gwyddai nad oedd modd ei dewi. Ond roedd Greta yn ei chael hi'n fwyfwy anodd i beidio chwerthin. A boddi'r lle mewn chwerthin a wnaeth hi pan holodd Iorwerth, 'Fydd hwn yn hir eto dŵad?'

Syllodd Ann Berllan Bella ar ei merch gyda llymder y disgyblwr cyson. Ond gwenu wnaeth Gareth ei gŵr, gan nad oedd Greta wedi newid dim ac roedd yn falch o hynny. Yna, newidiodd Iorwerth yn llwyr wedi i Jôs gyhoeddi yr emyn 'Mi glywaf dyner lais'. Gareth Berllan Bella oedd wedi cael ei drefnu i daro'r nodyn. Safodd Iorwerth yn syth fel sowldiwr, a chododd Bethan a Greta i'w ddilyn. Canodd Iorwerth â'i holl nerth, ei lais tenor hyfryd yn atseinio drwy Dyddyn Bach ac ar draws Cae Dan Tŷ a Chae Isa a draw i gyfeiriad Tyddyn Mawr yr ochr arall i'r cwm. Synnai Bethan ei fod yn cofio'r emyn bob gair. Prin y byddai yn cofio ei henw hi, ac eto roedd 'Mi glywaf dyner lais' yn aros yn glir fel crisial yn y cof. Gwenai Iorwerth yn fodlon wrth iddo daro'r cytgan yr ail waith, 'Arglwydd dyma fi, ar dy alwad di...'

'Emyn da a chanu ardderchog,' meddai wrth Bethan cyn eistedd unwaith yn rhagor.

Daeth y gwasanaeth i ben a syllu'n syn wnâi Iorwerth wrth i'r arch gael ei chario o'r siambr ac allan drwy'r drws.

'Be sy'n y... y... bocs?'

Cipiodd y cwestiwn anadl Bethan, ni wyddai sut i ateb. Roedd yn ofni hyd yn oed dychmygu gweld ei mam yn gorwedd yn yr arch.

'Cofio Margaret ydan ni, Yncl Iorwerth, pawb ohonon ni yn dawel bach yn cofio ryw ddigwyddiad, ryw atgof amdani, ryw gysgod mae hi wedi ei adael.'

'Yn dawel, ia?' a suddodd Iorwerth i fudandod tawel.

Tywysodd Greta a Bethan ef i ddilyn yr arch allan drwy'r drws. Tywynnai'r haul yn ddisglair ar y plât pres ar ganol yr arch. Roedd Mot y ci wedi ei glymu'n barchus yn libart y tŷ, cododd ar ei draed, ei gynffon yn isel yn gwylio'r pedwar yn cludo'r arch drwy'r iard fechan i gyfeiriad y llidiart. Yno, roedd yr hers yn disgwyl amdanynt. Arhosodd Iorwerth i roi mwythau i Mot a hwnnw'n gwerthfawrogi cyffyrddiad cyfarwydd yng nghanol y bobl ddieithr. Anwesodd Iorwerth hefyd y Ffyrgi bach lwyd oedd yn ymyl y sgubor mewn ffordd ddigon tebyg.

'Ble mae Margaret?' trodd yn ffyrnig at Bethan.

'Wedi marw, 'Nhad.'

'Wedi marw?'

'Ie, Yncl Iorwerth.'

'Biti garw. Tractor Margaret ydi hwn.'

Echdoe...

Roedd hi'n ddiwrnod braf iawn o hydref ar Sadwrn ocsiwn Cae Du ac yn agoriad llygaid i deulu newydd Tyddyn Bach. Roeddent wedi gweld cymdogion agos o bryd i'w gilydd, wedi taro sgwrs efo hwn a'r llall, ac wedi rhannu oglau sigarét a thail ambell un arall. Ond ar y dydd Sadwrn hwnnw daeth y tri i weld ffermwyr yr ardal mewn ffordd hollol newydd. Roedd gan bawb hamdden i gicio teiar tractor, neu deiar trelar wrth sgwrsio, amser i godi rhyw gryman rhydlyd o focs a mesur ei fin, amser i drafod buwch shorthorn go flin yr olwg, ac yn fwy na dim cyfle i hel atgofion gyda Henri Cae Du am droeon trwstan ei yrfa faith ar fferm anodd. Oedai rhai yn hir wrth ymyl y cwt lle roedd cwrw cartref Henri. Roedd sŵn y sgwrs, oglau'r tail ac oglau hen olew, a sŵn clician hen offer haearn yn gwneud i'r tri ddiolch eu bod nhw bellach yn Nhyddyn Bach.

Dyn â phwrpas i'w ddiwrnod oedd Iorwerth y Sadwrn hwnnw. Roedd wedi gweld yr hysbyseb am yr ocsiwn yn y papur ac yng nghanol y disgrifiadau moel, roedd cyfeiriad at y Ffyrgi bach a phrynu hwn oedd nod Iorwerth. Roedd offer y fferm wedi eu gosod mewn dwy res daclus ar hyd ymyl y cae ger y tŷ, popeth o gafn bwydo i chwe sachaid o datw newydd, ac ar ganol yr ail res, yn edrych yn benisel a'r rhwd yn newid lliw ei fonet llwyd, roedd y Ffyrgi bach. Nid oedd gan Iorwerth unrhyw amcan beth ddylai wneud wrth gymryd cip ar y peiriant. Sylwodd fod dau ffermwr oedrannus yn sgwrsio gerllaw'r Ffyrgi wrth iddo nesu. Poerodd un ar lawr wrth drwyn y tractor.

'Fawr o werth i hwn heddiw.'

'Wn i ddim,' meddai'r llall gan roi cic go solet i'r olwyn ôl, 'y teiars ma'n werth ceiniog neu ddwy.'

'Ond fawr o werth fel tractor.'

'Lot yn hel hen betha dyddia hyn, hyd yn oed os ydyn nhw'n colli oel fatha hon.'

Ac i ffwrdd â'r ddau ar hyd y rhes, a'r Ffyrgi bach yn gollwng oglau paraffîn mewn cywilydd.

Safodd Iorwerth mewn penbleth wrth drwyn y tractor llwyd rhydlyd. Roedd wedi gweld dyddiau gwell, ond ni wyddai Iorwerth sut i fesur pa mor arwynebol oedd olion yr henaint. Oedodd Bethan ddim, neidiodd i sedd y gyrrwr a dechrau chwarae â'r gêr.

'Paid Bethan, rhag ofn i ti dorri rhywbeth,' meddai llais ffyslyd Margaret.

'Pa! Fedrwch chi ddim torri hwn,' meddai Bethan yn syth, gan wthio'r gêr ymlaen yn erbyn rhyw sbring bach. Dyma'r injan yn rhoi tro swrth, gwelwodd Bethan, neidiodd ei thad yn sydyn mewn ofn fod y Ffyrgi bach am neidio drosto.

'Bethan,' gwaeddodd ei mam.

'Doeddwn i ddim yn gwybod na fel yna mae o'n tanio,' atebodd y bengoch wrth ddechrau dod ati ei hun.

'Dda na wnaeth o ddim tanio 'ta!'

'Yn enwedig efo fi'n sefyll o'i flaen o.'

'Ryw ddiwrnod fe ddysgi di beidio bod mor fyrbwyll!' dwrdiodd ei mam.

Dechreuodd Bethan chwerthin, gwenodd Iorwerth yntau ac edrychodd Margaret mewn anobaith ar y ddau. Ond doedd dim amheuaeth ym meddwl y tri mai hwn fyddai eu cerbyd haearn hwy cyn diwedd y prynhawn – roedd gan y Ffyrgi bach gymeriad yr un mor ddigywilydd â Bethan.

Roedd tyrfa dda ar y fferm erbyn deuddeg, pob pladur wedi ei bodio, pob picwarch wedi ei phwyso a'i mesur yn y glorian a phob cafn wedi cael ei archwilio, ond sylwodd Iorwerth fod pawb yn araf droi i gyfeiriad y tŷ. Dilynodd y tri hwy ac yno, er syndod iddyn nhw wrth groesi'r trothwy, hyrddiwyd plât i'w dwylo gan wraig radlon fochgoch.

'Stynnwch ati, brechdan ham yn fanna, brechdanau wy ar y dde, a brechdan gaws a thomato pen pella... dowch neno'r tad ne fydd Owi Ocsiwnïar 'di dechra... paned gymerwch chi?'

'Ia os gwelwch yn dda,' atebodd Margaret mewn syndod.

Doedd 'run o'r tri wedi disgwyl ffasiwn wledd, ond doedd dim modd bod yn swil efo Ann Berllan Bella.

'Iorwerth Tyddyn Bach 'dach chi, ia?'

'Ia dyna chi, a Margaret y wraig a Bethan y ferch.'

'Croeso cynnes i chi... nid bo chi'n hollol ddiarth chwaith.'

'Wel na ac eto...'

'Un dda oedd Glad, colled fawr ar ei hôl hi yn capel, 'dach chi am ddod aton ni?'

'Wel, tydan ni...'

'Ddim wedi dod eto, na dwi'n gwybod... ond mi ddowch, yn dowch?'

Roedd yn anodd gan Bethan weld sut y llwyddai neb i wrthod gwneud dim i Ann Berllan Bella, byddai dweud 'na' wrthi fel rhegi.

'Dydi hi ddim yn hawdd...'

'Pwy ddwedodd bod petha i fod yn hawdd, dwch?'

'Wel ia...'

Roedd Iorwerth wedi ei ddal fel llygoden mewn trap.

'Deg ydan ni.'

'Sori?'

'Capal, bore Sul.'

'O.'

'Dysgu hanes oeddach chi, ynde.'

'Wel, ia, fel mae hi'n digwydd.'

'Rhywun yn dweud bo chi am ffermio.'

'Os medrwn ni,' atebodd Margaret, 'roedd Anti Glad yn

cael bywoliaeth fach ddigon syml, ond eto roedd hi'n llwyddo rhywsut.'

'Yn wir,' oedd yr ateb digon swrth, 'fawr o dir i gynnal tri, cofiwch.'

'Byw yn syml fydd rhaid felly,' amddiffynnodd Margaret eu penderfyniad.

'Ac roedd Anti Glad yn cael dipyn o help gan Arwyn Glan Ffrwd, cofiwch. Roedden nhw'n dipyn o lawiau, ond chi gafodd Tyddyn Bach yn diwedd.'

'Arwyn Glan Ffrwd, dwi ddim yn cofio 'i gyfarfod o,' meddai Iorwerth mewn syndod.

'Un rhyfedd ydi Arwyn, ond 'dach chi'n siŵr o fod yn nabod ei hogyn o, Iorwerth. Mae o tua oed Bethan 'ma, Gwynfor.'

Syllai Iorwerth ar y dresel tu ôl i Ann. Ni allai ddweud dim.

'Ydi, mae Gwynfor flwyddyn yn hŷn na fi,' ychwanegodd Bethan, i lenwi'r bwlch anghysurus o dawelwch.

'Fyddan nhw hyd lle 'ma heddiw dwi'n siŵr,' ychwanegodd Ann, 'ond gwell i chi fynd i'r iard, mae Owi ar fin dechrau.'

'Diolch am y croeso,' mentrodd Margaret.

'Cymdogaeth, Margaret, dyna'r cwbl.'

Camodd y tri i fyd dieithr yr ocsiwn. Yr anifeiliaid werthwyd gyntaf, ar iard Cae Du.

'A be 'da chi'n gynnig am y fuwch gyrnsi 'ma, good milkier, what am I bid? Who'll start me at five, a five, five, five…' ac yn llif cyson undonog hwnnw y safodd y tri am yr oriau nesaf tra diflannodd anifeiliaid Cae Du dan ordd bren Owen Jôs yr ocsiwnïar.

Doedd Bethan ddim wedi cael y fath ddiddanwch o'r blaen, y dyrfa fawr yn glai yn nwylo medrus Owen Jôs. Roedd o'n tynnu coes hwn, yn pryfocio'r llall, a'r prisiau'n codi wrth i'r sbort gynyddu. Roedd 'na rialtwch wrth i Owen Jôs longyfarch Harri Pritchard ar ddarganfod sut i agor ei waled a phrynu llo. Roedd 'na ffwlbri iach wrth i Guto Tyddyn Mawr brynu hwch, ac roedd 'na lond bol o chwerthin wrth iddo gael ei annog i brynu iâr a cheiliog.

45

Roedd Bethan wedi disgwyl i'r ocsiwn fod yn drist a difrifol iawn, wrth i bennod o hanes y fro ddod i ben, ond yn hytrach roedd pawb yn glana chwerthin, a Bethan gyda hwy.

Erbyn cyrraedd yr offer roedd hi'n ganol pnawn, a phawb bellach yn cerdded y cae yn un dorf o gwmpas Owen Jôs. Erbyn hyn, roedd Iorwerth ar bigau. Doedd o 'rioed wedi bod mewn ocsiwn o'r blaen heb sôn am brynu dim. Gwyddai hefyd fod rhaid prynu'r Ffyrgi. Penderfynodd brynu llond bocs o sbanars a rhaw, caib ac ystol fel rhyw ffordd o brofi ei dechneg bidio.

'A be rowch chi i mi am y bocsiad yma o offer cymysg? Who'll start me at ten? Ten pounds? Cheap at the price. Eight? Five then... dowch, dowch be ydach chi, cybyddion? A five five five, a new bidder at five... six six six... another bid sir?'

Nodiodd y 'new bidder' yn fodlon.

'And seven seven, seven, saith bunt gyfeillion, bargen am saith bunt, seven – going at seven pounds. Gone to the gentleman on my left...?'

'Iorwerth Jones, Tyddyn Bach.'

A dyma Margaret a Bethan yn edrych arno mewn edmygedd, gan nad oedd yr un o'r ddwy wedi sylwi ei fod yn cynnig.

Daeth y dyrfa ymhen hir a hwyr at y Ffyrgi bach, ac Owen Jôs erbyn hyn yn fwy aneglur ei leferydd nag y bu.

'Ac yn awr, y trysor bach, y Ffyrgi bach llwyd 'ma a'r bocs...'

'Lot ninety one, a Massey Ferguson tractor, 1953, in need of some TLC, and the carrier on the back, what am I bid... be 'dach chi am gynnig?'

'Pum cant, five hundred I'm bid, and cheap at the price...'

Ac ymhen ryw bedwar munud o gnoi ewinedd a thair calon yn curo fel gordd wallgof, a chasglwr tractors o Birmingham yn ymddwyn yn styfnig dros ben, cyhoeddodd Owen Jôs,

'A thractor i Dyddyn Bach am y tro cyntaf ers degawdau.'

Bron na fu i'r tri guro dwylo a rhoi bonllef o fuddugoliaeth, roedd y Ffyrgi bach wedi cael cartref.

Gruff Tu Hwnt i'r Afon oedd yr achubiaeth yng nghynlluniau Iorwerth. Byddai Gruff yn fodlon gyrru'r Ffyrgi bach adref i Dyddyn Bach iddo, cyn dychwelyd yn hapus braf i nôl ei gar o'r cae. Ond, pan awgrymwyd y cynllun i Gruff ar ddiwedd yr ocsiwn, chwarddodd yn uchel.

'Iorwerth bach, paid â rwdlan. Dwi wedi bod ar gwrw cartref Cae Du ers deg bore 'ma, fasa dy dractor bach di ddim yn saff am eiliad. A beth bynnag fedri di ei ddreifio fo dy hun.'

'Wel na, dyna lle 'dach chi ddim yn deall, dwi ddim yn medru dreifio.'

'Twt, Ffyrgi bach ydi o, wrth gwrs y medri di ddreifio.'

'Ond does gen i ddim trwydded.'

'Dos dim angen siŵr, ar gyfer byd amaeth mae o.'

'Ond dwi ddim yn...'

''Nawn ni dy ddysgu di Iorwerth, fyddi di fatha Michael Schumacher mewn pum munud.'

Ymhen deg munud roedd 'na bwyllgor hyfforddi o bump wedi amgylchynu Iorwerth, Margaret a Bethan a'r Ffyrgi bach yn ganolbwynt y cyfan.

'Tanio 'di'r peth cynta,' cyhoeddodd Gruff.

'Ond gan gofio mai tractor TVO ydi'r Ffyrgi bach,' ychwanegodd Wil Tyddyn Pistyll, a'i dafod fymryn yn dew yn ei geg.

'A bod tractor TVO yn tanio efo petrol,' meddai Gwyn Rhyd yn dawel.

'Fedra i fyth ddallt hyn...'

'Medri siŵr Dduw,' meddai Gruff.

'Mae o'n iawn, Dad,' ymunodd Bethan, 'dwi'n deall y busnes tanio 'ma, mae hogyn Tir Gof wedi esbonio i mi. 'Dach chi'n tanio efo petrol a wedyn ar ôl iddo gnesu dipyn 'dach chi'n troi tap ac mae o'n rhedeg ar TVO.'

'Mae Henri 'di gadael deg galwyn i ti yn y bocs. Da o beth hefyd, hen sglyfath anodd cael gafael arno fo'r dyddia yma.'

'O! Os wyt ti'n deall hynna, popeth yn iawn.'

'Ydi siŵr, mae Beth yn hogan gall.'

'Mae'r tractor bach yn tanio, wrth wthio'r lifar gêr ffordd yma.'

'Mi wnaeth Bethan hynna mewn camgymeriad pnawn 'ma,' meddai Margaret.

Ciledrychodd Bethan yn flin ar ei mam, yn codi cywilydd arni o flaen y pum hyfforddwr lled feddw.

'Felly Iorwerth, efo tap y petrol ar agor, a'r goriad wedi i droi fan hyn, ti'n gwthio lifar y gêr ffordd acw, a hei presto mae'r Ffyrgi bach yn tanio.'

A chododd mwg fel mwg ethol y Pab yn y Fatican o simdde rydlyd yr hen Ffyrgi, a daeth sŵn oedd fel sŵn symffoni i Iorwerth o berfedd y peiriant. Roedd y Ffyrgi bach yn troi.

'Hwrê,' meddai Bethan.

'Hwrê', ategodd yr addysgwyr mawr.

Syllodd Iorwerth ar y cyfan mewn ofn.

'Reit 'ta,' meddai Gruff, 'stedda di ar y tractor.'

Dringodd Iorwerth i sedd y Ffyrgi bach, a'i goesau'n crynu.

'Rŵan 'ta, ar y chwith...'

'Mae'r clyts...'

'Ac ar y dde mae'r brêc...'

Roedd pen Iorwerth yn troi a chynghorion y pwyllgor hyfforddi yn llifo cyn rhwydded ag y bu cwrw cartref Cae Du.

'Reit mae isio i ti drio fo rŵan,' meddai Gruff.

'Dim byd tebyg i ddreifio i ddysgu dreifio.'

'Ti'n rhoi dy droed ar y clyts, ei tharo hi yn i gêr, a chodi dy droed yn araf bach, a ffwrdd â thi.'

A chyda llam roedd y Ffyrgi bach yn hyrddio yn ei blaen a dau o'r pwyllgor yn stryffaglio allan o'r ffordd. Roedd wyneb Iorwerth yn bictiwr, ei fymryn gwallt yn wyllt, ei geg yn llydan agored a'i lygaid ynghau.

'Dad, agor dy lygaid...'

'Mae hynny yn help,' ochneidiodd Gruff.

Ac agorodd ei ddau lygaid jest mewn pryd i roi tro go egar ar y llyw ac osgoi gwasgu dau gafn bwyd a werthwyd am ddeg punt yr un. Ond ar ôl dau gylchdro i'r cae, roedd Iorwerth yn ymddangos fel petai yn dechrau deall egwyddor llywio'r Ffyrgi bach.

'Stopia rŵan,' gwaeddodd Gruff wrth iddo basio'r dyrfa fechan yr ail waith.

'Sut ydw i'n gwneud hynny?' gwaeddodd drwy gongl ei geg.

'Clyts.'

'A brêc.'

'Y ddwy droed, Dad,' esboniodd Bethan.

Plannodd Iorwerth ei ddwy droed i lawr gydag egni rhyfeddol, a daeth y Ffyrgi bach i stop gan adael marc ei deiars ar borfa las y cae. Ochneidiodd Iorwerth ei ryddhad gan godi ei ddwy droed, a llamodd y tractor ymlaen unwaith eto.

'Troed chwith a wedyn troed dde yn ysgafn,' llefodd Gruff.

A daeth y tractor llwyd i stop ychydig mwy urddasol y tro hwn.

'A thynnu hi o'i gêr.'

'Gêr.'

'Y lifar rhwng dy goesau di.'

'O grasusau, diolch am hynna,' murmurodd Iorwerth.

'A dyna ti yn barod i ddreifio adra,' meddai Gruff yn hapus.

'Bron i mi anghofio,' ymhelaethodd Gruff, 'y bocs, oedd yn mynd efo'r Ffyrgi.'

Ar hynny cododd y pump y bocs cario sylweddol oedd tu ôl i'r tractor cyn i Iorwerth ei yrru o gwmpas y cae, a'i gario'n ddiseremoni a'i osod yn sownd wrth gefn y tractor.

'A weli di'r lifar yma, mae hwn yn ei godi ac yn ei ostwng, fel hyn weli di.'

'Diolch,' meddai Iorwerth, ond heb fawr argyhoeddiad.

'A rwyt ti wedi prynu offer...'

'O ia, llond bocs, ac ystol.'

A chyda'r un seremoni dyma'r pump yn gosod yr offer gan gynnwys yr ystol i sefyll yn y bocs, ynghyd â dau lond tun sylweddol o TVO.

'A rŵan Beth, cymrwch eich lle yn y cerbyd.'

Syllodd Bethan yn od ar Gruff. Tarodd yntau y lifar a gostyngodd y bocs i lawr nes ei fod ar y cae. Cydiodd yn ei llaw a'i gosod i sefyll ar un ochr.

'A chithau Margaret.'

Cydiodd yn ei llaw hithau gan ei gosod ar ochr arall y bocs. Yna cydiodd yn y lifar a chododd y bocs dair troedfedd oddi ar y cae, a Bethan a Margaret ynddo yn sgrechian.

'Dyna chi yn barod am adra.'

'Hwyl fawr i chi.'

'Peidiwch â mynd heibio Glan Ffrwd – fydd 'na fawr o groeso yn fan honno' ebychodd Wil Tyddyn Pistyll.

'Cau dy ben' brathodd Gruff.

'Pam? Be ddwedais i?'

'Cwrw'n siarad, yr hen Iorwerth. Hwyl ar y daith. Ta ta.'

A gadawyd teulu Tyddyn Bach yn barod i gychwyn ar eu taith ryfedd am adref. Iorwerth wrth lyw y Ffyrgi bach, Bethan ar ochr chwith y bocs ar gefn y peiriant a Margaret ar yr ochr dde, gydag ysgol ddeg troedfedd yn sefyll ar ei phen rhyngddynt. Bu'n daith hir, araf iawn, ond roedd y tri yn mynd dan ganu o'r Cae Du i Dyddyn Bach.

Heddiw...

'**Y**dan ni'n mynd am drip?' gofynnodd Iorwerth yn dalog wrth eistedd yn sedd gefn car Berllan Bella.

'I'r amlosgfa 'Nhad.'

Ni fu ymateb. Eisteddodd yn dawel yn y cefn, Bethan a Greta wrth ei ochr ac Ann a Gareth yn y tu blaen. Gwasgodd Greta law Bethan, gwasgiad tyner. Trodd Bethan ati a gwenu arni, sychodd Greta ddeigryn o lygaid Bethan ac edrychodd y ddwy ar Iorwerth. Roeddynt ill dwy yn dechrau deall y straen roedd Margaret wedi byw gydag o'n dawel am flynyddoedd.

Gwasanaeth syml fu yn yr amlosgfa, ac yna canu 'O fryniau Caersalem ceir gweled' ar y dôn Crug-y-bar. Ymunodd Iorwerth gyda'r un arddeliad ag a wnaeth yn Nhyddyn Bach. Diolchodd Bethan i bawb am ddod ac am eu cefnogaeth i'w mam yn enwedig yn ystod y blynyddoedd diwethaf. Ceisiodd ambell un estyn llaw i gydymdeimlo gydag Iorwerth, ond roedd wedi suddo i gragen fud a llonydd erbyn hynny. Cydiai ym mraich Greta heb ddweud gair na hyd yn oed cydnabod neb a ddeuai ato. Roedd Bethan wedi synnu bod cymaint o gyn-athrawon wedi dod, pobl a fu'n gyd-weithwyr agos i'w thad.

'Doeddwn i ddim wedi sylweddoli sut oedd eich tad, Bethan,' mentrodd Huws Cem wrth ysgwyd ei llaw, 'er 'mod i'n galw i'w weld bob hyn a hyn. Chwarae teg i dy fam, mae hi wedi ei warchod o ers blynyddoedd.'

'Un fel yna oedd Mam.'

'Cofia di, fuodd o ddim 'run fath ar ôl yr hen gyfnod du 'na.'

'Cyfnodau Mr. Huws, nid cyfnod.'

'A dy fam yn gysgod iddo fo drwy'r cyfan.'

'Ond peth gwahanol ydi hyn, cofiwch.'

'Be wnewch chi rŵan Bethan? Yng Nghaerdydd ydach chi, ia?'

Yn sydyn, sylweddolodd Bethan nad oedd hi wedi wynebu'r cwestiwn hwnnw. Roedd hi wedi dod adref, wedi trefnu'r angladd, wedi gofalu am ei thad, ond wyddai hi ddim beth fyddai'n digwydd nesaf. Gwyddai nad oedd Iorwerth yn medru gofalu am ei hunan. Ond, gwyddai hefyd na allai hi a Greta ddychwelyd i Dyddyn Bach. Edrychodd yn syn ar ei thad, yna trodd yn ôl at Huws Cem.

'Ar hyn o bryd Mr. Huws, does gen i ddim obadeia be wnawn ni.'

'Rhannu tŷ efo Greta Berllan Bella ydach chi, ia?'

Doedd 'na fawr o gynildeb ym musnesa Huws Cem.

'Nage, Mr. Huws, 'dan ni'n briod ers blwyddyn.' Roedd ei hateb yn onglog a di-gwafars. Ni chredai ei fod yn haeddu dim gwell.

'Wel, mae hynny yn gysur i chi, dwi'n siŵr, o leia mae rhywun i rannu'r baich efo chi.' Doedd Bethan ddim wedi disgwyl ymateb fel hyn. Teimlai'n chwithig ac yn edifar am fod mor fyrbwyll a brathog. 'Mae 'na felltith bod yn unig blentyn, wyddoch chi. Cofiwch os medra i'ch helpu chi, dim ond gair.'

Gadawyd Bethan yn llawn euogrwydd. Wrth iddo adael, gan osod llaw dyner ar ysgwydd Iorwerth, cofiodd Bethan mai babi Mam roedd ambell un yn galw Huws Cem.

'Iorwerth, eich tad ddim efo ni, Bethan,' llais blinedig Jôs gweinidog ddenodd Bethan o ganol ei heuogrwydd.

'Mae o hefo ni weithiau, Mr. Jones, ac yn absennol bryd arall.'

'Mae 'na nerth i'w gael wyddoch chi. Mi brofodd eich mam hynny yn ystod y blynyddoedd diwetha 'ma.'

'Roedd 'na rywbeth yn ei chynnal hi, beth bynnag. Diolch yn fawr iawn i chi am y gwasanaeth, Mr. Jones, ry'n ni'n gwerthfawrogi'ch geiriau caredig.'

Roedd Bethan yn casáu angladdau ond roedd y mân siarad wedi'r angladd yn llethu ei hamynedd prin. Rhoes Greta winc sydyn iddi.

'Bethan bach, be fedra i ddweud?' a dyma goflaid flonegog chwyslyd yn lapio amdani fel toes cynnes. Mati Tyddyn Mawr oedd yn ei chyfarch. Roedd Bethan bron â chael ei mygu, gan yr aroglau chwys a oedd yn ddigon i godi cyfog arni.

'Diolch i chi am ddod,' meddai a gwelai Greta yn gwenu fel giât arni. Roedd Greta yn gwybod am aroglau chwys y teulu.

'Wel fy mabi annwyl i, be wnawn ni heb dy fam, dŵad?'

'Mi fydd colled fawr ar ei hôl hi.'

Parhaodd yr ystrydebau drwy'r prynhawn: byddai amser yn gwella pethau; byddai Duw yn gymorth hawdd ei gael mewn cyfyngder; unrhyw beth 'dach chi isio, gofynnwch; be wnewch chi efo'r tir a'r busnes llysiau bellach, heb sôn am eich tad? O'r diwedd roedd wedi cyfarch pawb.

'Tyrd, hen bryd i ni fynd oddi yma,' sibrydodd Greta yn ei chlust, 'cyn i ti ddweud be sydd ar dy feddwl di!'

Gwenodd Bethan.

Echdoe...

Pan dorrodd y wawr roedd sŵn y glaw fel bwledi ar y ffenestr, a sŵn y gwynt yn hyrddio yn erbyn Tyddyn Bach. Gallai Iorwerth glywed gwaith coed y tŷ'n griddfan mymryn, a thiciadau'r cloc yn y gegin yn meddiannu pobman. Penderfynodd Margaret godi, roedd hi am weld y cynnyrch cyntaf yn y cae. Camodd allan o'r gwely a theimlo pob un o'i chyhyrau yn cwyno cyn iddi symud bys. Roedd plannu ddoe wedi gadael ei ôl ar ei chefn, ei hysgwyddau, ei chluniau a'i phen gliniau... roedd pob man yn griddfan. Estynnodd ei chorff crwn, o leiaf roedd y cnydau yn y ddaear a than orchudd clyd ar fore mor arw. Yn reddfol, symudodd Iorwerth ei gorff ar draws y gwely, fel petai ryw ganiatâd wedi ei roi iddo feddiannu ei hochr hithau o'r gwely bellach. Camodd hi at y ffenestr ac agor y llenni fel y gallai weld ffrwyth ei llafur. Lledodd ei llygaid, sychodd y mymryn gwlybaniaeth oddi ar y gwydr fel petai'n methu credu'r hyn a welai.

'Iorwerth,' gwaeddodd ar dop ei llais nes bod y tŷ'n crynu, 'Iorwerth, gwartheg, mae 'na lond Cae Dan Tŷ o wartheg.'

'Be...?' meddai llais cysglyd pell Iorwerth.

'Deffra, tyrd, mae 'na lond y cae o wartheg ac maen nhw'n difetha'r bresych.'

Roedd Margaret bellach wedi hanner gwisgo ei dillad gwaith.

'Bethan, Bethan,' gwaeddodd Margaret tua'r daflod, 'rhaid i ni gael gwared ar y gwartheg neu bydd y cnyda wedi'u difetha. Tyrd, brysia!'

Clywsai Bethan y tro cyntaf. Neidiodd allan o'i gwely, a gwisgo.

'Iorwerth, tyrd plis, neu mi fydd popeth wedi ei golli...' oedd geiriau olaf Margaret wrth fynd drwy ddrws y siambr ac allan drwy ddrws y gegin i wynebu'r llanast. Safodd yn gegrwth wrth edrych i lawr ar y cae. Yno, roedd deg neu ddeuddeg o fustych mawr ar hyd y rhychau, y twneli plastig yn ddarnau, ac roedd unrhyw fresychen a ddaethai i'r golwg wedi ei bwyta. Roedd y glaw bellach yn llifo ar hyd ei gwallt, ei chalon yn curo'n wyllt, rhedodd i ganol y cae gan ddychryn y bustych. Stompiodd rheini drwy'r rhychau gan wneud unrhyw ddifrod a wnaed eisoes yn ganwaith gwaeth. Rhusiodd nhw i gyfeiriad y giât. Roedd Bethan allan yn y buarth a gwelodd beth oedd angen ei wneud, agorodd y giât ar frys, a rhedodd y bustych yn wyllt i'r buarth. Caeodd y giât ar eu holau. Syllodd i gyfeiriad y cae, ac yng nghanol y rhychau gwelai ei mam, a'i dagrau'n llifo. Roedd hi ar ei gliniau yn ceisio ailffurfio'r rhychau efo'i dwylo ac yn ailblannu unrhyw blanhigyn a welai. Croesodd y cae ati. Edrychodd ei mam arni, heb ddweud gair, ei dillad yn fwd drostynt a'i dwylo'n bridd i gyd. Roedd olion ar ei bochau iddi sychu'r dagrau â'i dwylo budr.

'Mi a' i nôl rhaw neu ddwy.'

Bu'r tri yn ceisio achub hynny a ellid o'r cnwd am awr neu ddwy yn y glaw, heb fawr o lwyddiant. Roedd y planhigion wedi eu bwyta, wedi eu sathru neu wedi eu gwasgu a dim ond ambell un oedd yn werth ei achub. Ond fe gafwyd peth trefn ac fe lwyddwyd i adfer y twneli plastig, fwy neu lai. Roedd y tri yn fwd o'u corun i'w sawdl ond roedd llygaid Margaret yn gwbl benderfynol na fyddai bustach neu ddau yn llwyddo i chwalu ei byd hi.

Pan ddychwelwyd i'r tŷ, roedd amlen tu ôl i'r drws, amlen lwyd. Cododd Margaret yr amlen a'i hagor. *Biti garw, Iorwerth Jones, biti garw fod bustych mor farus. Tâl iawn i ti, y bastard.*

Rhoddodd Margaret y nodyn yn llaw Iorwerth, syllodd yntau arno, edrychodd yn llygaid Margaret cyn plygu'r nodyn a'i gladdu yn ei boced, heb i Bethan wybod dim.

Heddiw...

Eisteddai'r tri yn Nhyddyn Bach wedi'r angladd. Iorwerth yn eistedd yn ei gadair arferol yn pendwmpian a Bethan a Greta bob ochr i'r bwrdd.

'Fe allen ni symud i Dyddyn Bach,' awgrymodd Greta.

'Be, a rhedeg fferm lysiau fel y gwnâi Mam?'

'Pam lai?'

'Achos mai un rheswm dros symud i Gaerdydd oedd dianc o fan hyn. Cael lle i fod yn ni ein hunain, yn hytrach na bod yn Greta Berllan Bella a Bethan Tyddyn Bach.'

'Mi fedra i wneud fy ngwaith o Dyddyn Bach.'

'Na, Greta, dydi dod yn ôl i fan hyn ddim yn ddewis.'

'Ond be am dy dad?'

'Rhaid iddo ddod i Gaerdydd efo ni.'

'I le cwbl ddieithr.'

'Greta, edrych arno fo – mae pob man yn ddieithr iddo fo bellach.'

Tawelodd y ddwy, gan fod car newydd gyrraedd y buarth. Ochneidiodd y ddwy. Nid oedden nhw am weld ymwelydd y funud honno. Daeth cnoc ar y drws, cafodd ei agor a rhywun yn dod i mewn.

'Oes 'ma bobl?' meddai llais Ann Berllan Bella.

'Mam... doedden ni ddim yn disgwyl...'

'Meddwl amdanoch chi, a mymryn yn bryderus oeddwn i.'

'Be sy'n bod, Ann?'

'Dy dad, Bethan fach. Dwi ddim isio busnesa, ond dwi ddim wedi clywed 'run o'r ddwy ohonoch chi'n trafod be 'dach chi am wneud. Rŵan, mi wn i y gallech chi ddod yn ôl i Dyddyn Bach, ond dwi'n gwybod nad oes 'run ohonoch chi'n barod i ddod nôl ar hyn o bryd. Felly, y dewis arall ydi rhoi Iorwerth mewn cartref preswyl. Mae 'na sôn fod Gwynfor Glan Ffrwd gynt yn agor lle newydd. Ond alla i ddim gweld Iorwerth yn setlo mewn cartref. Felly, be mae Gareth a finna wedi bod yn ei drafod ydi... bod Iorwerth yn dod aton ni i Berllan Bella. Mi wnawn ni ofalu amdano fo. Wrth wneud hyn mae o'n cael aros yn ei gynefin a 'dach chi'n dal yn ifanc ac yn medru mynd ymlaen efo'ch bywyda. Dyna fi wedi dweud fy neud.'

Syllai Greta a Bethan ar ei gilydd wrth i Ann draethu, a phan dawodd, yr un oedd ymateb y ddwy.

'Na, Ann,' meddai Bethan, 'dydi hynny ddim yn deg arnoch chi.'

'Mam bach, nid ebolion blwydd ydach chi'ch dau, 'dach chi'n mynd yn hen. Fedrwch chi ddim cymryd cyfrifoldeb fel hyn.'

'Diolch Greta, cynnil iawn. Ond be wnewch chi felly? Cartref iddo fo?'

'Na, yn bendant,' atebodd Bethan heb hyd yn oed meddwl, 'bydd yn rhaid iddo ddod i Gaerdydd efo ni.'

'Ond genod bach, 'dach chi'ch dwy'n brysur ac yn gweithio bob dydd. Does gynnoch chi ddim syniad faint o waith fydd edrych ar ôl dy dad. Bydd angen rhywun efo fo bob eiliad.'

''Dan ni'n gwybod bydd o'n waith, Mam, ond does 'na ddim dewis arall. Mi fedar y ddwy ohonon ni weithio oriau hyblyg ac o ran Iorwerth... wel, dydi o ddim yn rhy siŵr ble mae o hyd yn oed rŵan, felly fydd Caerdydd ddim yn wahanol iddo fo.'

'Ond mae o fel pawb, angen adnabod ei gynefin,' meddai Ann yn amddiffynnol, 'tasa fo'n aros efo ni'n dau fe fyddai yn adnabod rhai petha o leia.'

'Does 'na ddim dewis Ann, mi fydd 'na anawsterau ond... does gynnon ni ddim dewis.'

Doedd Ann ddim wedi ei hargyhoeddi, ond fe wyddai, o adnabod y ddwy, nad oedd modd dadlau efo nhw unwaith roedd y penderfyniad wedi ei wneud.

Roedd y glaw wedi cyrraedd erbyn hyn ac yn curo'n ddidostur ar y ffenestr fechan a chwibanai gwynt main dan y drws. Doedd ganddi fawr o awydd camu allan i'r dilyw ac felly oedodd efo'r tri am sbel.

'Mae 'na gardiau cydymdeimlad heb eu hagor fan hyn,' ceisiodd Ann newid y stori.

'Fawr o amynedd,' oedd ateb swta Bethan. 'Agorwch chi nhw.'

Am chwarter awr bu'r tri yn gwylio Ann yn agor amlenni ac yn darllen cyfarchion a chydymdeimlad gan bobl na wyddai Bethan na Greta am eu bodolaeth.

'Brawd yng nghyfraith cyfyrder i dy dad...' eglurodd Ann gyda gwên ddireidus ar ei hwyneb, a chwarddodd Bethan a Greta fel petai Ann wedi eu rhyddhau. Syllu'n syn ar y tamaid tân a wnâi Iorwerth heb ddweud na bw na be wrth neb.

Ochneidiodd Ann yn uchel wrth agor y cerdyn nesaf.

'Chwaer yng nghyfraith cyfyrder fy nhad?' awgrymodd Bethan yn smala.

'Nage,' atebodd Ann yn siort. 'Pwy fasa'n anfon cerdyn fel hyn?' Taflodd y cerdyn i gyfeiriad pen y bwrdd. 'Be haru pobl?'

Cododd Greta a darllen y neges, gan ddwyn anadl sydyn

mewn dychryn. Erbyn hyn roedd Bethan wrth ei hochr yn darllen y neges:

> *Bu farw Magi Tyddyn Bach,*
> *rwyt ti ar ben dy hun Iori bach,*
> *ti'n haeddu dim gwell y bastard,*
> *ond cofia fydda i yma wastad.*

Gwelwodd Bethan.

Echdoe...

Ym meddwl Iorwerth yn saith oed, roedd pob ystrydeb am wraig fferm wedi ei ffurfio oherwydd Anti Glad, y bochau coch, y welingtons wedi troi i lawr, y brat blodeuog oedd yn lapio am ei chorff sylweddol a'r chwerthin heintus yn byrlymu o waelod ei bod.

'Anti Glad?'

'Ia 'ngwas i?'

'Pam bo fi ddim 'di cael mynd efo Mam a Dad?'

'Dydi hynny ddim yn bosib bob amser, Iorwerth, a dwyt ti mond saith, 'sti.'

'O.'

'A dwi'n siŵr y basan nhw wedi lecio mynd â chdi efo nhw.'

'Na, mi glywis i Mam yn deud bod hi isio gwyliau hebdda fi.'

'Ella ma camglywed wnest ti.'

'Na, nath hi ddeud y basa well taswn i'n dod i aros efo chi...'

'Ond mi gawn ni sbort efo'n gilydd, yn cawn?'

'Pam bo gynnoch chi ddim plant, Anti Glad?'

'Fel yna digwyddodd petha, 'ngwas i.'

'A sgynnoch chi ddim Dad yma chwaith.'

'Nag oes.'

'Roedd Mam yn deud mai methu...'

'Dy fam yn deud lot, yn tydi?'

'Ydi a nac ydi.'

'Be ti'n feddwl?'

'Clwad hi'n deud fydda i.'

'Wyt ti'n gwrando'n slei bach?'

'Na... wel... weithia.'

'Siarad efo dy dad fydd hi?'

'Weithia.'

'A dro arall?'

'Ar y ffôn.'

'Ddylat ti ddim gwrando ar sgyrsia oedolion, 'sti.'

'Fasach chi wedi lecio cael un?'

'Cael be?'

'Tad.'

'Roedd gen i Dad, dy daid di, tad dy dad.'

'Fasach chi wedi lecio cael tad i dy fabis di? A cael hogyn bach fatha fi? Fasach chi?'

'Baswn, Iorwerth, baswn i wrth fy modd yn cael hogyn bach fatha ti.'

'Ga i aros efo chi am byth?'

'Tyrd yma'r coblyn bach i ti.'

Gallai Iorwerth deimlo'r goflaid enfawr honno am fisoedd. Roedd ei foch dde yn gorffwys ar feddalwch godidog ei bronnau a brethyn blodeuog y brat yn gynnes, gynnes. Gallai deimlo ei breichiau cadarn yn ei wasgu'n dyner dynn, gallai deimlo'i chusanau ar ei ben a threiddiai ei dagrau cynnes i lawr at ei gorun. Safodd y ddau yn hir, yn un cwlwm clos o flaen y tân yn Nhyddyn Bach, y gwres yn llosgi ei goesau noethion a'i dristwch yn cael ei sugno gan frethyn y brat.

Ddoe...

oedd Bethan ddim wedi dychwelyd i'r ysgol ar ôl cymryd blwyddyn allan ar ôl TGAU. Roedd Iorwerth wedi ei phlagio hi lawer gwaith am hynny, ond roedd Bethan yn gallu bod mor benderfynol â'i mam. Felly, a hithau'n treulio amser yn helpu ei rhieni i droi Tyddyn Bach yn fferm lysiau, dechreuodd weithio rhyw ychydig fel gofalwraig. Roedd digonedd o waith i'w gael yn yr ardal, yn treulio ryw awr neu ddwy yma ac acw yn gwneud mân bethau i henoed a phobl fregus yn yr ardal. Daeth gwallt fflamgoch cyrliog Bethan yn gwibio heibio ar feic yn olygfa gyfarwydd i'r pentrefwyr a chyda'r fellten fe ddeuai rhyw gyfarchion: 'S'mai', 'Braf heddiw'.

Roedd hi ar ei ffordd i weld Harri Tŷ Pen ryw fore Llun ym mis Mai ac yn gwibio mynd dan ganu heibio Glan Ffrwd pan ddaeth John Deere enfawr werdd drwy giât y fferm ac allan i'r ffordd. Gan fod y peiriant yn llenwi'r ffordd, dyma wasgu'r brêc yn galed, ond ni fedrai stopio. Trodd drwyn y beic i mewn i'r ffos. Powliodd Bethan a'i beic din dros ben i ganol y ffos. Roedd y tractor wedi sefyll bellach. Agorodd drws y cab.

'Wyt ti'n iawn?' holodd llais Gwynfor Glan Ffrwd.

'Dwi wedi teimlo'n well!' meddai'r llais o waelod y ffos.

Neidiodd Gwynfor i lawr o'r cab a brysio i ochr y ffos gan estyn llaw iddi.

'Sori, welis i mohonot ti.'

'Taswn i'n fawr ac yn dew baswn i'n saff, felly.'

Chwarddodd y ddau, un ar ei hyd yn y ffos a'r llall yn ceisio codi'r beic oedd ar ei phen. Estynnodd Gwynfor ei law. Doedd Bethan ddim wedi sylwi llawer arno cyn hyn, ei lygaid yn las fel y môr, ei wallt yn ddu a chinc bach ar ochr chwith ei wefus uchaf o dan y graith fechan ar ei foch. Cydiodd yn ei llaw a'i chodi gydag un symudiad cyflym.

'Wyt ti 'di brifo?' holodd yn parhau i ddal ei llaw.

'Ydi brifo dy falchder yn cyfri?'

'Na, dwi ddim yn meddwl.'

'Heblaw am glais ar fy mhen glin, fy mhen elin a mhen ôl dwi'n iawn, hyd y gwela i.'

'Rhyfedd fod dy ben di'n iawn, felly?'

'Tydi hwnnw 'rioed wedi bod yn iawn, cyn i ti ddweud.'

'Dyna oedden nhw'n ddweud!'

'Pwy oedd yn dweud?'

'Neb siŵr, tynnu coes. Er, mae tipyn o olwg ar dy feic.' Cododd hwnnw ar ei draed a dangos bod ei olwyn flaen wedi plygu.

'Dario, a finna ar fy ffordd i weld Harri Tŷ Pen.'

'Mi a' i â chdi yno. Peth lleia fedra i wneud ar ôl dy wthio di i'r ffos, ac mi ga i hogia garej i roi olwyn newydd ar dy feic di.'

'Ti'n siŵr?'

Rhoddwyd y beic yn barchus ar gefn y tractor, yna agorodd Gwynfor ddrws y cab gan foesymgrymu, 'Eich cerbyd, Madam.'

Chwarddodd Bethan gan ddechrau dringo i ben yr anghenfil o dractor a cheisio rhesymu pam nad oedd ei thad wedi bod yn rhy hoff o Gwynfor yn yr ysgol. Ond wedyn, doedd hi ddim yn deall pam nad oedd hi wedi sylwi arno ychwaith. Roedd hi'n gwybod amdano, ond prin ei bod yn cofio ei weld ac yn sicr nid oedd wedi torri gair efo fo. Roedd cab y John Deere fel parlwr bach o'i gymharu efo'r Ffyrgi bach. Roedd 'na sedd fawr ledr a llond gwlad o offer cymhleth ond ni wyddai Bethan lle dylai eistedd. Dringodd Gwynfor ati a chan roi ei law am ei chanol yn dyner estynnodd at ddolen fach wrth ochr y sedd, rhoes dro ynddi a daeth sedd ledr arall i'r golwg wrth ochr sedd y gyrrwr, ychydig yn uwch. Doedd dim brys ar Bethan i eistedd, oedodd gan deimlo gwres ei law yn treiddio drwy ei chrys-t.

'Fi sy'n gyrru?' gofynnodd yn ddireidus, 'dwi'n ddwy ar bymtheg, bron yn ddeunaw.'

'Mae hon dipyn mwy na'r Ffyrgi bach,' meddai Gwynfor, 'gwell i fi yrru am heddiw, dwi'n meddwl.'

Diolchodd Bethan nad oedd wedi cael gyrru'r John Deere. Roedd eistedd ar y sedd ymhell uwchlaw y byd a'i bethau a'r olwynion enfawr yn chwyrnu troi oddi tani yn ddigon i godi ofn arni. Gyrrodd Gwynfor yn wyllt a chyrhaeddodd hithau Tŷ Pen ar amser. Agorwyd drws y cab, a diolchodd Bethan iddo gyda gwên ddireidus.

'Pryd wyt ti'n gorffen?' holodd Gwynfor.

'Pam wyt ti'n gofyn?' meddai hithau yn hy.

'Bydd angen trwsio dy feic di,' meddai'n ffrwcslyd.

Diflannodd y wên ar wyneb Bethan, 'Rhyw awr.'

'Fydda i yma i dy nôl di,' a chyda pwff o fwg glas roedd y John Deere yn gwibio i gyfeiriad y garej a Bethan yn chwifio'i llaw, fel merch fach ddeg oed.

Echdoe...

Roedd hi'n tynnu at ddiwedd gwyliau'r ysgol, tridiau oedd ar ôl i fod yn fanwl gywir. Roedd Bethan yn gweld y dyddiau'n llusgo ac Iorwerth yn eu gweld nhw'n gwibio heibio, tra bod Margaret yn rhy brysur yn gwneud jam a tsiytni i sylwi ar hiraeth y naill ac ofn y llall. Ond roedd y pythefnos yn yr Alpau wedi gwneud gwahaniaeth mawr i Iorwerth, a sylwai Margaret yn aml ar bendantrwydd ei atebion a'i benderfyniadau. Fyddai hi ddim yn cytuno â'i syniadau bob amser, ond roedd yn werth brathu tafod ambell waith. Roedd y tridiau bregus hwn ar wawrio i Iorwerth, pan ganodd y ffôn ar y bore Sadwrn yn niwedd Awst, a hynny am hanner awr wedi pump y bore. Margaret oedd y cyntaf i'w glywed, a deffrodd Iorwerth yn union syth.

'Iorwerth, y ffôn.'

'Mmmmm'

'Iorwerth, mae'r ffôn yn canu, deffra neno'r tad.'

A rhoes hergwd go galed i'w ysgwydd.

'Faint o'r gloch ydi hi?'

'Hanner awr wedi pump.'

'Rhif anghywir, rhywun wedi ffonio cwmni tacsis a...'

'Ond wyddost ti ddim.'

'Wel pwy fasa'n ein ffonio ni am hanner awr wedi pump yn y bore?'

Erbyn hyn, roedd Bethan wedi codi.

'Bore da, Cartref Cathod Amddifad Llainhelyg.'

'Fasa'n dda gen i tasa'r hogan 'na'n ateb y ffôn yn iawn.'

Gwenodd Iorwerth.

'Na... tynnu coes ydw i... ia... ydi.. dyna chi...'

'Pwy sydd 'na?' holodd Margaret.

'Tasat ti wedi ateb mi fasat ti'n gwybod.'

'Fasa chi'n lecio gair efo fo?'

'I ti mae o.'

'Tada... Iorwerth Jôs...'

'Ia.'

'Y glas isio gair efo ti.'

'Y glas?'

'Yr heddlu, Margaret.'

'Be wyt ti 'di neud? Be sy 'di digwydd?'

'Dim byd... gawn ni weld rŵan.'

Ymlwybrodd corff main Iorwerth Jones i lawr y grisiau, ac wrth i'w draed noeth gamu ar y teils oer ar waelod y grisiau rhoddodd Bethan y ffôn yn y ei law gan rochian yn uchel fel mochyn. Nid oedd Bethan yn or-hoff o'r heddlu ers y diwrnod hwnnw roedd plismon wedi 'dwyn ei thrwyn' ar stryd fawr Llainhelyg, a hithau'n chwech oed.

'Bore da, Iorwerth Jones yn siarad... sŵn? Chlywais i ddim sŵn? Rhyw nam ar y lein efallai...'

Tynnodd Bethan ei thafod arno.

'Ia, modryb i mi. Be sy 'di digwydd?... ond doedd hi ddim yn sâl, roedd hi fel cneuen yn cario gwair bythefnos yn ôl.' Ceisiodd Iorwerth feddwl pam iddo roi'r manylyn yna o wybodaeth i ddieithryn.

Erbyn hyn roedd Margaret ar ben y grisiau yn ei gŵn nos, a Bethan yn eistedd ar waelod y grisiau.

'Be sy eisiau i ni wneud?'

'Ydi hi 'di...?'

'Anti Glad...' meddai Bethan.

'Mi wnawn ein gora... i'r swyddfa heddlu, 'ta'r ysbyty?... Diolch i chi, mi welwn ni chi cyn bo hir.'

Roedd Iorwerth yn welw, roedd Bethan fel y galchen a Margaret yn dawel.

'Roedd hi wedi ffonio 999 yng nghanol y nos, trawiad... ond erbyn iddyn nhw gyrraedd Tyddyn Bach, roedd hi wedi mynd.'

'Ond roedden ni'n cario gwair efo hi bythefnos yn ôl.'

'Ac mi gawson ni gystadleuaeth taflu'r belen wair.'

'Ac Anti Glad enillodd.'

Aeth y tri'n fud, pawb yn ei fyd bach ei hunan.

Roedd 'na ddagrau poenus yn enaid Iorwerth y bore hwnnw, dagrau sychion oedden nhw, hiraeth na allai ei fynegi a cholled roedd arno ofn ei dangos.

Nid peth hawdd oedd cyrraedd Abersychdyn. Roedd y daith wedi cymryd oriau ar dri bws gwahanol cyn heddiw. Ond, roedd bysiau bore Sadwrn yn broblem ychwanegol i Iorwerth ei datrys. Roedd ei drwyn mewn amserlenni tra bod Bethan a Margaret yn paratoi brecwast.

'Mi fydd yn amser cinio arnon ni'n cyrraedd, hyd yn oed os daliwn ni'r bws hanner awr wedi wyth...'

'Fasa hi ddim yn well cael tacsi?'

'Mi gostith yn ddrud,' meddai Margaret.

'Mae dy fam yn iawn yn fanna.'

'Dwi'n siŵr, ond mi fasa'n haws na'r holl fysus 'ma.'

Ac unwaith eto roedd synnwyr cyffredin Bethan yn drech na gogor-droi a dilidalian ei rhieni. Mewn llai na phum munud, roedd Bethan wedi ffonio, y trefniadau wedi eu gwneud a Dylan i'w codi o ddrws y tŷ am hanner awr wedi wyth.

Siwrnai ryfedd oedd honno i Abersychdyn. Eisteddai Margaret fel brenhines yng nghefn y car, yn syllu'n dawel ar y cloddiau'n gwibio heibio. Roedd hi ac Anti Glad yn sgylyri Tyddyn Bach. Roedd hi'n stafell gymharol gul, bron cyhyd â'r tŷ ei hun. Ond roedd hanner pella'r gegin wedi ei gulhau gan ddwy silff enfawr o lechen, nid silffoedd yn gymaint â llwyfannau llechi. Yn blentyn, byddai Bethan wrth ei bodd yn sefyll ar y llechi hyn i berfformio ei dramâu bychain. Cadw llaeth yn oer oedd bwriad y llechi, ryw oes bell yn ôl, ond oni bai am gynnyrch Blodwen doedd gan Anti Glad ddim defnydd i'r llechi hyn bellach, heblaw i gadw'i miloedd o botiau jam a tsiytni a jereiniyms wrth y dwsinau. Yn y sgylyri y treuliai Margaret ei hamser yn Nhyddyn Bach. Roedd gan Gwladys rysáit ar gyfer pob math o jam a tsiytni y gellid ei ddychmygu. Defnyddiai bopeth oedd yn tyfu, hyd yn oed gwreiddyn dant y llew i greu rywbeth blasus, os nad i'r jam neu'r tsiytni, roedd yn llysieuyn ychwanegol i'r cawl, neu'n ddeunydd gwin cartref. Nid oedd pall ar ei dychymyg na'i brwdfrydedd. Roedd Anti Glad wedi dal gafael ar rywbeth na fu ond blaen bysedd Margaret yn ceisio dal gafael ynddo. Deuai o Dyddyn Bach wedi ei hysbrydoli, ond yn llawn cenfigen ar yr un pryd.

Roedd Bethan wedi mynnu eistedd yn y sedd flaen, wrth ochr Dylan, er nad oedd 'run o'r tri wedi cyfarfod â Dylan erioed o'r blaen. Ond heblaw ambell ebwch, ni ddwedodd Dylan 'run gair wrth yrru. Sylwodd Bethan ei fod yn cadw'i law chwith ar nobyn y gêr drwy'r amser. Roedd ei ddwylo'n flewog, nid yn yr ystyr ffigurol, hyd y gwyddai, ond yn llythrennol flewog. Dychmygai fod ei gorff cyfan yn hynod flewog, ac roedd olion hynny i'w weld yn sbecian arni heibio coler ei grys. Ni allai ddweud ei fod yn ddeniadol, ddim yn ystyr gonfensiynol y gair, roedd ei drwyn yn fwaog, ei lygaid ychydig yn rhy fain i'w wyneb, a dylai fod wedi golchi ei wallt y bore hwnnw. Ond, dim ond drwy gornel ei lygaid y gallai Bethan edrych arno, byddai ei hedrychiad yn rhy amlwg fel arall. Ambell dro yn ystod y daith trodd at y frenhines yn y cefn, gan ofyn ryw gwestiwn amherthnasol, dim ond er mwyn troi a syllu arno. Ond gwnaeth hynny mewn ffordd mor gynnil fel nad oedd Dylan wedi sylwi.

'Bethan, rhag cywilydd i ti...'

'Be?'

'Ateb Dylan, wnei di?'

'Ateb Dylan?'

'Fi oedd yn holi os wyt ti'n dal yn yr ysgol...'

'Dair gwaith!'

'Sori rown i 'mhell i ffwrdd. Ydw, ydw.'

'Yn y chweched dosbarth?'

'Ie, dechrau wythnos nesa. Be wyt ti'n neud?'

'Gyrru tacsi.'

'Cwestiwn twp!'

'Na, helpu Dad ydw i dros yr ha, dwi yn y coleg.'

'O... yn?'

'Bristol.'

Tawelwch.

'Pam fan honno?'

'Pam ddim?'

'Achos bod o yn Lloegr.'

'Does 'na ddim byd o'i le ar fod yn Lloegr, 'sti.'

'Nag oes, mwn.'

Roedd gan Bethan y ddawn i ladd sgwrs pan oedd hi'n dymuno, ac ni fentrodd Dylan agor ei geg ymhellach heb i rywun ei gyfarch ef yn y lle cyntaf.

Edrychodd Iorwerth ar ei oriawr am y chweched tro yn y gwta hanner awr roedden nhw wedi bod yn y car. Ceisiodd gofio faint o filltiroedd oedd 'na o Lainhelyg i Abersychdyn, neu ai yn ôl yr amser y byddai'r tacsi yn codi arno. Tybed a fyddai rhaid talu am y siwrnai yn ôl hefyd, oherwydd prin y gallai'r gyrrwr gael teithiwr arall oedd eisiau mynd yn ôl yn y tacsi. Estynnodd ei waled a chyfri faint o arian sychion oedd ganddo. Byddai'n rhaid gofyn i'r gyrrwr aros wrth dwll yn y wal felltith. Byddai hynny yn codi cywilydd arno, yn arbennig pe na bai'n cofio'i bedwar rhif personol, a byddai'r twll yn llyncu ei gerdyn am byth, ac yng nghanol hyn i gyd dychmygai gorff Anti Glad druan yn gorwedd ar ryw garreg oer yn disgwyl iddo ef ei hadnabod hi a'i chymryd i'w ofal. Byddai'n rhaid iddo ddod o hyd i ffôn. Tybed oedd ganddo ddigon o ddeg ceiniogau, dim byd gwaeth na ffonio o flwch yn ystod y dydd, byddai'n llyncu arian fel tasa 'na ddim yfory, yna wedi cael ffôn, byddai'n rhaid cael gafael ar Dic Saer, os oedd hwnnw adra, heb sôn am Jôs gweinidog, ac roedd hi'n fis Awst, a hwnnw'n hen ffasiwn fatha jwg yn mynnu cymryd mis Awst yn wyliau. Roedd gormod i'w wneud a gormod i feddwl amdano a gormod i'w drefnu i un ymennydd bach, ac roedd Dylan yn gyrru yn llawer iawn yn rhy gyflym, ac roedd dydd Mawrth yn gwibio'n nes bob dydd, a byddai rhaid iddo fod yn yr ysgol, yn ei siwt lwyd a'i dei wyrdd. Ac roedd ganddo hiraeth mawr am Anti Glad.

'I le 'dach chi isio mynd yn Abersychdyn?' holodd Dylan.

'Gorsaf yr heddlu,' oedd ateb siort Bethan. Sylwodd arno yn tynhau cyhyrau ei wyneb, cystal â dweud – o, dwi'n gweld. 'Mae modryb i Dad wedi marw'n sydyn.'

Gwelodd ei wyneb gwelw'n gwrido fymryn.

'Mae'n ddrwg gen i glywed am eich profedigaeth,' meddai Dylan gan chwilio am wyneb Iorwerth yn y drych.

'Roedden ni i gyd yn agos iawn ati,' mynnai Bethan wneud iddo deimlo'n anghyffforddus.

'Dwi'n siŵr.'

'Fyddwn ni'n hir eto?' holodd Iorwerth, yn synhwyro'r tensiwn yn y sedd flaen.

'Pum munud bach.'

Wrth iddo yrru fel hyn, byddai dau funud yn ddigon, ym meddwl Iorwerth.

'Ylwch,' mentrodd Dylan, 'fasach chi'n lecio i mi aros efo chi yn Abersychdyn, achos wedi'r cwbl dwi'n siŵr bod gynnoch chi amryw o lefydd i fynd, a phethau angen eu gwneud yma ac acw...'

Bu tawelwch. Iorwerth yn cyfri'r gost, Margaret yn dotio at ei garedigrwydd a Bethan yn holi be oedd hwn eisiau.

'Wna i ddim codi arnoch chi... arwydd bach o ddiolch.'

'Diolch?'

'I chi Mr. Jones, 'dach chi'n dysgu yn yr ysgol.'

'Ond dwi ddim wedi'ch dysgu chi, ydw i?'

'Naddo, dysgu'n chwaer. Mi wnaethon ni symud i'r dre ryw ddwy flynedd yn ôl, a doedd Gwawr ddim yn setlo o gwbl, nes iddi hi ddechrau mwynhau eich gwersi chi.'

'Gwawr... Gwawr... blwyddyn saith, ia?'

'Dyna chi.'

'Mae hi'n ymddangos fel petai hi'n ddigon hapus erbyn hyn,' ymatebodd yr athro gostyngedig.

'Waw, Mr. Iorwerth Jones, athro hanes a *super hero* mewn un pecyn hwylus. Mam, gofalwch bod 'na drôns glân at fore Mawrth iddo fo gael ei wisgo dros ei siwt lwyd ora.' Nid y Bethan chwareus, gall arferol oedd hon, ond yr un sbeitlyd ddi-hid, ac ni wyddai yn iawn pam. Roedd pethau rhyfedd yn mynd drwy'i meddwl yr eiliad honno, ac roedd arni ofn.

'Diolch am eich cynnig caredig, Dylan. Mi fydda'n help mawr eich cael chi efo ni,' gwenodd Margaret at gefn ei ben.

'Croeso siŵr,' meddai yntau.

Ac fe aeth pethau yn haws na'r disgwyl yn Abersychdyn. Roedd yr heddlu'n ddigon caredig wrth y tri, ond er i Iorwerth ddisgwyl gorfod adnabod y corff a phethau tebyg, fe'i hysbyswyd mai yn yr ysbyty y byddai angen gwneud hynny. Felly, ychydig funudau oedd ei angen yn swyddfa'r heddlu. Nid oedd pethau cyn gyflymed na chyn hawsed yn yr ysbyty. Ochneidiodd y tri wrth ddychwelyd i'r car, ochenaid fel petai pwysau'r byd wedi codi oddi ar eu hysgwyddau.

'Gawn ni fod yn ddigywilydd Dylan?' mentrodd Margaret.

'Unrhyw beth siŵr.'

'Fasa ni wrth ein bodd yn cael mynd i Dyddyn Bach, mae o lawr yn ymyl Lleiniau.'

'Fan honno oedd hi'n byw?'

'Ia.'

Yna, aeth Dylan â'r tri i Dyddyn Bach i wneud yn saff fod popeth yn iawn yno. Ond lle rhyfedd oedd yno heb gwmni hollbresennol

Anti Glad. Doedd dim modd mynd â char i'r buarth yn hawdd iawn, tueddu i barcio wrth y giât fyddai pawb a ddeuai heibio Anti Gladys. Felly, gadawyd Dylan yn y car wrth y giât. Doedd 'na fawr o fuarth, ryw driongl bach rhwng y sgubor ar y llaw dde, sgubor fechan isel oedd hi, cwt go fawr mewn gwirionedd, ond y sgubor oedd hi i Anti Glad, ac yna gyferbyn â'r giât cefn y beudy, a wal gerrig yr ardd ar y chwith yn cwblhau ochrau'r triongl. Roedd y llwybr naturiol yn eich tywys i'r chwith wrth y giât, ac ôl troed cyson Anti Glad a'i chyndeidiau wedi gwasgu'r llwybr cerrig glan môr i rigol bychan oedd yn eich tywys heibio talcen y beudy at flaen y tŷ. Ond yno, wrth dalcen y beudy, ei gynffon fel pendil cloc, a'i dafod yn hongian roedd Mot druan, yn sownd ar dennyn.

Wedi i'r ymwelydd basio talcen y beudy, byddai'n sefyll yn libart y tŷ, a châi llygaid rhywun eu denu'n anorfod at y caeau o'i flaen. Roedd 'na bedwar cae â waliau cerrig yn eu gwahanu, rhwng y tŷ a'r ychydig goed a llwyni a warchodai'r nant islaw. Caeau llwm yr olwg oedden nhw, heb eu trin ers blynyddoedd, dim ond eu pori'n gyson. Roedd sŵn y nant i'w glywed yn glir o libart bach y tŷ, er ei bod bron i ddau gan llath i ffwrdd. Yna, yr ochr draw i'r cwm roedd tir cyfoethog a chaeau helaeth Tyddyn Mawr yn disgleirio'n las, y tŷ a'r beudái helaeth wedi eu sodro'n solet ar ben y bryn. Roedd mudandod y tri yn fwy amlwg heddiw nag y bu erioed o'r blaen, y tri yn troedio fel tresmaswyr, y tri yn aros i glywed llais fel cloch Anti Glad, 'Wel dowch i'r tŷ i gael paned yn lle bo chi'n sbio ar Dyddyn Mawr fel tri llo. Falla nad oes gen i mo'r tir sy gan Guto, ac efalla nad ydi 'nghaeau i ddim yn edrych cweit cystal, ond maen nhw'n gneud y tro i mi, diolch yn fawr,' ac yna'r chwerthiniad, chwerthin fel petai hi wedi dweud y stori ddoniolaf a glywsai neb erioed, a'r garreg ateb ar dalcen y beudy'n dyblu'r chwerthin.

Gwenodd Bethan. Er gwaetha'r tawelwch, gallai gofio Anti Glad. Trodd at y drws ffrynt, a'r cysgod bach to llechi a'i furiau gwydr, ac yno ar y chwith roedd y welingtons, ac wrth eu hymyl tu ôl i'r potyn jereniyms roedd ei ffon. Roedd popeth yno i'w hatgoffa am Anti Glad. Cododd ar flaenau ei thraed ac ymestyn ei llaw i'r gofod main rhwng trawst y drws a'r wal, ymbalfalodd ei bysedd gan chwilio am siâp y goriad. Ond doedd o dim yno.

'Mae o gen i,' meddai ei thad yn dawel.

Gwawriodd ar Bethan nad Anti Glad oedd wedi cloi'r drws wrth adael, a chronnodd dagrau yn ei llygaid, ond ni chollodd yr un deigryn. Rhoddodd Iorwerth y goriad i Margaret, gan nad oedd o na Bethan am fod y cyntaf i groesi'r trothwy heddiw.

Bwthyn bychan un llawr oedd Tyddyn Bach, a byddai rhywun, wrth gamu i mewn heibio palish pren yn cyrraedd canol y gegin. Doedd Anti Glad ddim yn credu mewn ffaldirals newydd, felly roedd ganddi hen grât agored, grât wedi ei blacledio.

'Rargian mae 'na drafferth cael blac-led y dyddia 'ma Bethan.'

'Pam na chewch chi stof llosgi coed Anti Glad?'

'Ac ar be faswn i'n cwcio wedyn, hogan?'

'Cael stof yn y cefn.'

'Felly ti isio i mi gael gwarad ar un stof, er mwyn prynu dwy?'

'Basa'n handi.'

'Basa'n ddrud.'

'Ond chi oedd yn cwyno am y blac-led.'

'Un peth 'di cwyno 'mach i, peth arall 'di feddwl o.'

''Dach chi rioed yn rhagrithwraig, Glad.'

'Dowcs annwl dad, hogan dan ddeunaw oed yn defnyddio gair mwy na deusill, bydd rhaid i mi nodi hynna yn fy nyddiadur.'

''Dan ni ddim cyn waethed â hynny.'

'Ddylat ti glwad nhw yn siop yn dre, "oes gynnoch chi blac-led?" "Y'what?" "Blac-led i llnau stof?" "D' know luv." "Could you ask someone who does know?" "S'ppose." Os oes 'na ddau sill yn rhwbath, mi wnân nhw fo'n un!'

'Be?'

'Wrth gwrs bo fi'n rhagrithio, dydan ni i gyd?'

Dim ond llwch tân ddoe oedd ar ôl yn y grât a dillad yn crasu ar y popty. Syllodd Iorwerth yn syn ar un neu ddau o lieiniau sychu llestri yn hongian ar yr hors bren oedd yn hongian ar raff o'r to.

'Ga i ddod â'r hors i lawr, Anti Glad?'

'Cei siŵr Iorwerth, ond bydd di'n ofalus rŵan, dwi ddim isio i ti ollwng 'yn nillad glân i ar lawr.'

'Wna i ddim Anti Glad.'

'Ac ara bach rhag i ti dynnu huddyg o'r simdda.'

'Sut basa hynna'n digwydd?'

'Codi drafft, yr hogyn gwirion.'

'O!'

'Rŵan cydia yn y rhaff a'i thynnu oddi ar y bachyn yn fanna.'

'Ia dwi'n gwybod, dwi 'di gweld chi'n gneud.'

'Gofal rŵan, mae o'n drymach nag wyt ti'n fedd... o diar.'

'Sori Anti Glad, nath o lithro... sori Anti Glad.'

'Hidia befo, dydyn nhw ddim 'di maeddu lot... mi wnân nhw'r tro i Anti Glad.'

Yng nghefn y gegin roedd 'na sgylyri fach, dim mwy na phantri cul a deud y gwir, a llwyfannau'r llaethdy yn meddiannu hanner pella'r stafell, ond fan hyn roedd holl anghenion coginio Anti Glad, popeth ond y stof. Diolch byth roedd ganddi degell trydan, yr un cyfaddawd roedd hi wedi ei wneud gyda thechnoleg yr oes, er nad oedd hi'n ei ddefnyddio'n aml.

'Dio ddim yn berwi fel teciall ar y tân, 'sti.'

Rhoes Margaret ddŵr yn y tegell, iddyn nhw gael paned sydyn. Roedd 'na dair stafell arall yn y tŷ, y siambar ar y dde wrth y drws ffrynt, stafell molchi fechan, go gyntefig tu cefn iddi roedd modd ei chyrraedd drwy'r sgylyri, ac wrth gwrs roedd y daflod. Roedd grisiau hynod o serth, bron yn ysgol i fyny o ganol y gegin at ddrws y daflod. Dyma hoff ystafell Bethan. Roedd o fel camu i fyd hud a lledrith. Ond doedd hi ddim am fynd yno heddiw, doedd hi ddim yn weddus rhywsut. Er cymaint y demtasiwn i glywed y gliced yn canu dros y tŷ, a chlywed y styllod yn clecian dan ei phwysau, a chodi ar flaenau ei thraed i sbecian drwy'r sgeulat, aros yn y gegin wnaeth hi heddiw. Yn y daflod roedd ei byd yn cychwyn, ond heddiw roedd hi yma i gofio Anti Glad.

'Dos i ofyn i Dylan ydi o isio paned, Bethan.'

'Oes rhaid Mam?'

'Oes.'

Nid oedd yr un o'r tri am aros yn rhy hir yn Nhyddyn Bach y bore hwnnw. Caed rhyw fath o drefn ar bopeth, cafodd Iorwerth afael ar Jôs y gweinidog, a oedd ar ei wyliau yn Ninbych-y-pysgod ac yn bwriadu dychwelyd ddydd Mercher, roedd Dic Saer wedi cytuno gwneud y trefniadau, ac roedd Guto Tyddyn Mawr wedi cytuno i bicio draw bob dydd i fwydo Mot a chadw golwg ar bethau.

Ddoe…

Doedd meddwl Bethan ddim ar ei gwaith yn ystod yr awr nesa, gan nad oedd Gwynfor wedi dweud dim byd pendant am ei nôl hi. Ond roedd yr ansicrwydd yn gwneud i'w chalon guro'n gyflymach ac roedd ei chlustiau'n codi efo sŵn pob car oedd yn pasio. Nid oedd Bethan yn cofio teimlo fel hyn o'r blaen. Roedd hi'n flin efo hi ei hun, ond eto yn methu rhwystro ei hun. Camodd allan o'r tŷ teras bychan ar derfyn yr awr ac ochneidiodd wrth weld fod y ffordd yn wag, doedd 'na 'run adyn ar gyfyl y lle. Doedd dim amdani ond cerdded felly. Oedodd a'i throed yn hongian rhwng y rhiniog a'r ffordd, roedd 'na sŵn cadarn injan a hymian teiars enfawr ac fel pe bai'n ymddangos o ganol niwl hud, llenwodd peiriant gwyrdd y ffordd gul. Camodd Bethan yn ôl, fel petai yn gwneud lle i'r anghenfil. Gwenodd ynddi ei hun ond doedd dim o'r cynildeb hwnnw yng ngwên Gwynfor. Safodd y peiriant o flaen y tŷ.

'Y beic wedi ei drwsio,' meddai gan roi cip ar gefn y tractor.

'Ti ydi fy marchog i'm hachub,' atebodd hithau yn chwareus.

'Y?'

'Dim byd… diolch i ti.'

Cychwynnodd Bethan i gyfeiriad cefn y tractor.

'Mi a' i â thi adra 'run fath siŵr, tyrd!' Estynnodd ei law i'w helpu i ddringo i'r cab.

'Diolch.'

'Ond mae 'na amod.'

'Amod?'

'Dod allan efo fi nos Sadwrn.'

'Www, dwi ddim yn siŵr, mae Mam yn dweud na ddylwn i drystio pobl hy!'

Yna, yn sŵn rhu yr anghenfil gwyrdd roedd Bethan ar ei ffordd adref o'i gwaith.

* * *

'Lle buost ti y llipryn bach?' poerodd Arwyn ei eiriau ar draws yr iard wrth i Gwynfor barcio'r tractor.

'Yn y pentra,' atebodd ychydig yn fwy ymosodol nag y bwriadai.

'Wnes i ddim gofyn i ti fynd i'r blydi pentra. Gofyn i ti fynd i wneud yn siŵr bod giât Cae Pella wedi cau wnes i, nid wastio disl yn crwydro hyd lle 'ma.'

'Roedd 'na reswm…'

'Dwi ddim isio clywed dy esgusion sâl di, rŵan dos i fwydo'r lloi yn fy lle i cyn i ti gael swadan – gwna rywbeth am dy gadw!'

Ddoe...

Byddai Bethan a Greta yn gweld ei gilydd yn aml. Doedd gan Greta fawr o gow ar amser a byddai'n cyrraedd Tyddyn Bach am un ar ddeg y nos neu hanner nos weithiau.

'Helô, oes 'na bobl?' fyddai ei chri cyson, yn ddigon tebyg i'w mam.

Ni fyddai Margaret ac Iorwerth yn cloi'r drws. Hen arferiad Anti Glad oedd gadael y drws yn agored ac fe benderfynwyd mewn pwyllgor o gomiwn Tyddyn Bach mai felly y dylid parhau. Felly, byddai Greta yn landio'n hwyr y nos, doedd dim amserlen i ysgol gartref Ann Berllan Bella, a byddai Greta wedi bod yn darllen, yn astudio, neu'n tynnu llun ac yna wedi penderfynu neidio ar ei beic. Byddai Iorwerth a Margaret yn eu gwlâu ers ryw ddeg o'r gloch, ac Iorwerth yn aml iawn yn chwyrnu'n dawel. Byddai Bethan yn codi a thros baned byddai'r ddwy yn rhoi'r byd yn ei le. Byddai'r sgwrs yn gwibio o'r newyddion diweddara, i ddadl wleidyddol, i farddoniaeth, i safbwyntiau crefyddol Ann Berllan Bella, heb sôn am y lliw diweddaraf y byddai Greta am ei roi yn ei gwallt.

'Lle fuost ti heddiw 'ta?'

'Ar gefn tractor gwyrdd Glan Ffrwd.'

'Bobl bach, ddim yn meddwl bo chdi'n nabod Arwyn Glan Ffrwd, wel nag eisio 'i nabod chwaith ar ôl y petha mae o wedi ddweud am Anti Glad.'

'Nid Arwyn, Gwynfor.'

'Gwynfor... wrth gwrs mae o 'run oed â ni. Oedd o yn yr ysgol efo ti. Ar y tractor efo Gwynfor, ai e? Pam roeddet ti ar y tractor efo fo?'

'Damwain oedd hi.'

'Fedri di ddim mynd i ben John Deere mawr werdd ar ddamwain.'

'Na, damwain ar y beic. Mi ddaeth Gwynfor allan o giât Glan Ffrwd heb edrych a buodd yn rhaid i mi fynd ar 'y mhen i'r ffos, yn hytrach nag ar 'y mhen i flaen y John Deere. Ac mi gymerodd drugaredd arna i.'

'Fawr o drugaredd os mai fo oedd ar fai.'

'Roedd o'n neis iawn. Mi wnaeth drwsio'r beic a dod â fi 'nôl adre.'

'Wel mae o'n dipyn o arwr i ti, mae'n amlwg.' Bu tawelwch rhwng y ddwy, a'r cloc yn tipian yn anesmwyth.

'Sori,' meddai Greta o'r diwedd, 'dwi'n siŵr iddo fod yn glên iawn wrthot ti.'

'Paned?'

Ddoe...

Roedd Glan Ffrwd yn fferm lewyrchus. Roedd yno adeiladau mawr concrid newydd a iard enfawr lân gyda rhesiad o beiriannau mawrion, ac yn eu canol y John Deere gwyrdd y buodd Bethan yn eistedd yn ei gab. Gosododd Bethan ei beic i orffwys yn erbyn yr unig damaid o wal gerrig oedd gerllaw'r giât. Doedd neb i'w weld yn unman na'r un Mot a'i gynffon groesawgar. Oedodd wrth y giât, ei hanner cam yn awgrymu ei bod am droi'n ôl. Ond yna, yn benderfynol sicr camodd heibio'r giât a cherdded i gyfeiriad drws cefn y ffermdy. Drws pren modern a gwydr at ei hanner oedd hwn a'r rhan hon o'r tŷ wedi ei chwipio â cherrig mân. Curodd ar y drws, ar amrantiad daeth cyfarthiad chwyrn rhyw gi o berfeddion y tŷ. Curai calon Bethan yn gyflymach bellach, roedd ei cheg yn sych a dechreuodd chwarae ag ymyl ei chrys-t fel merch fach yn adrodd mewn steddfod.

'Taw y bleiddiast bach,' bloeddiodd llais garw o'r un dyfnder a daeth sŵn sgidiau glaw trymion i gyfeiriad y drws, 'pwy ddiawl sy 'na rŵan 'to?' a daeth Arwyn Glan Ffrwd i'r golwg ym mhen pella'r pasej.

Ni wyddai Bethan a ddylai ei ateb ai peidio, rhoes besychiad fach ysgafn, wrth i Arwyn rwygo'r drws yn agored.

'A phwy sy gynnon ni fan hyn?'

'Bethan... Bethan Tyddyn Bach.'

'Blydi wynab!'

'Dwi ddim yn deall.'

'Be wyt ti eisio?'

'Ydi Gwynfor yma, plis?'

Syllodd Arwyn yn galed yn ei llygaid, yna heb drafferth troi hyd yn oed rhoes floedd oedd yn atsain drwy'r adeiladau concrid a metal gyferbyn, 'Gwynfor, mae 'na ffansi ledi i dy weld di!'

Gwridodd Bethan a lledodd crechwen dros wyneb Arwyn. Doedd o ddim wedi eillio'r bore hwnnw ac roedd craith ddofn ar draws ochr chwith ei ên.

'Gwynfor,' cyfarthodd eto. 'Mae o hyd y lle ma yn rhywle, sgeifio fwy na thebyg. Be wyt ti isio efo fo?'

'Eisia holi ydi o wedi gweld jymper oedd gen i.'

'Be fasa fo'n wneud efo dy jymper di?'

'Roedd hi ym masged y beic pan roddodd o lifft i mi ar y tractor.'

'Gwynfor,' cyfarthodd eto a'i lais yn diasbedain drwy'r adeiladau concrid.

'Be?' daeth llais Gwynfor o bellterau ryw sied.

'Mae dy ffansi ledi di 'ma!'

'Dydw i...'

'Dim ots gen i be wyt ti na dy rieni, blydi lladron' a throdd Arwyn ar ei sawdl a dychwelyd i'r tŷ gan roi clec i'r drws. Cyfarthodd y ci unwaith eto, a chlywodd Bethan y bygythiad, 'cau dy blydi ceg' ac yna, sŵn y ci'n udo wedi cael cic go egar.

Safodd Bethan yn anghysurus ar yr iard, pletiodd ei breichiau gan rwbio ei dwylo yn ei breichiau noeth. Teimlai fod amser wedi sefyll yn llonydd a hithau heb wybod beth i'w wneud. Ochneidiodd a chychwyn yn ôl at ei beic.

'Dyma ni sypréis,' llais Gwynfor o dywyllwch y sied agosaf, 'mi gest ti fwynhau cwrteisi rhyfeddol 'Nhad felly.'

Daeth Gwynfor allan i olau haul, ei jîns yn amlwg yn jîns gwaith fferm a'r crys sgwariau fel gwisg rhyw ystrydeb o ffermwr.

'Ti'n smart,' meddai Bethan gan chwerthin.

Syllodd Gwynfor ar ei wisg, cododd ei sgwyddau a dangos cledr ei ddwy law, 'Roedd fy nghrys Ralph Lauren yn y golch bore 'ma.'

Chwarddodd Bethan.

'Lle gest ti'r llygad ddu?'

'Twp 'ta be? Ddim yn edrych lle roeddwn i'n mynd.'

'Be wyt ti'n neud?'

'Osgoi 'Nhad.'

'Roedd o'n iawn felly, sgeifio.'

'Be wyt ti'n neud?'

'Osgoi helpu Mam i deneuo moron.'

'Sgeifio.'

Chwarddodd Bethan eto, gan feddwl ei bod yn chwerthin yn rhy rhwydd yn ystod y sgwrs yma.

'Taith o gwmpas y fferm, madam?'

'Dod i holi a welaist ti jymper oedd ym masged y beic wnes i.'

'Does dim rhaid gwneud yn union be oeddat ti wedi fwriadu bob amser...'

Treuliodd y ddau ddwy awr yng nghwmni ei gilydd y pnawn braf hwnnw, yn siarad am ddim byd ac am neb. Aeth Gwynfor â hi heibio'r siediau ac ar draws cae a gweirglodd at yr afon. Roedd honno'n troi a throelli drwy'r dolydd rhwng dwy dorlan serth, oni bai am un tro lle roedd y dorlan wedi ei thorri er mwyn creu llwybr i'r gwartheg gyrraedd y dŵr. Cerdded y glannau buodd y ddau ac yna oedi ac eistedd a'u dwy droed yn hongian dros y dorlan.

'Aros yn llonydd,' sibrydodd Gwynfor yn sydyn, 'edrych, dyfrgi.' Ni welai Bethan ddim oll. 'Fan acw,' meddai eto gan bwyntio.

'Ymhle?'

Estynnodd Gwynfor ei fraich amdani a throi ei phen at lecyn ryw ugain llath i lawr yr afon, a dyna pryd y gwelodd hi drwyn tywyll yn sbecian uwchben y llif, ac wrth syllu adwaenodd gorff hir, brown golau'r dyfrgi oddi tan y dŵr.

'Maen nhw'n mynd yn brin iawn erbyn hyn, dydi sgotwrs ddim yn rhy hoff o'u gweld nhw' ychwanegodd Gwynfor.

'Welais i rioed ddyfrgi o'r blaen.'

Ciliodd y dyfrgi o'r golwg, ond arhosodd braich Gwynfor ar ei hysgwyddau, a bu'r ddau yn eistedd yno am hydoedd yn mwynhau bod yn agos at ei gilydd, gan wylio'r afon yn llifo, ac ambell aderyn yn gwibio heibio.

'Glas y dorlan?' holodd Bethan.

'Na, dwi ddim yn meddwl, ti'n chwilio am wyrthiau rŵan, dyfrgi, glas y dorlan...'

'Dwi'n disgwyl gormod ydw i?'

'Mi fasa'n haws cael 'Nhad i fod yn gwrtais na gweld glas y dorlan fan hyn!'

* * *

Roedd Bethan ar ben y byd, Gwynfor oedd ei chariad go iawn cyntaf. Doedd Ed yn yr ysgol gynradd ddim yn cyfri, er bod y ddau wedi addo i'w gilydd y bydden nhw'n priodi rywbryd. Byddai Gwynfor a hithau yn crwydro glan yr afon yn aml yn chwilio am gip arall ar y dyfrgi ac yn gobeithio'n ofer am weld glas y dorlan. Dim ond ebwch fyddai cyfarchiad Arwyn iddi fel arfer a digon sychlyd oedd cyfarchiad Sylvia, mam Gwynfor hefyd. Ond doedd Bethan ddim yn malio rhyw lawer am hynny, er ei bod hi ychydig yn ddryslyd wrth weld ei thad yr un mor amharod i siarad â Gwynfor.

'Doeddwn i ddim yn un o'i fyfyrwyr gorau 'sti,' eglurodd Gwynfor un gyda'r nos a hwythau yn comowta tu ôl i rai o'r siediau yng Nglan Ffrwd. 'Rown i reit anystywallt a dweud y gwir. Toeddwn i rioed wedi mwynhau'r ysgol ac yn sicr doeddwn i ddim yn deall pam bod rhaid trafod Harri'r wythfed a'i wragedd yn ddiddiwedd. Efallai fod dy dad wedi gorfod dioddef gormod ar fy niffyg diddordeb.'

'Doedd 'Nhad ddim yn mwynhau dysgu chwaith, cofia.'

'Faswn i wedi taeru ei fod o'n mwynhau ein cosbi ni efo'r gwragedd 'na. Be oedd o'n ddweud hefyd a'i ddweud yn Saesneg, dyna be oedd yn fy synnu i, "divorced, beheaded, and died, divorced, beheaded, survived."'

'Doedd ei ymdrechion ddim yn ofer felly.'

'Ymdrechion dy dad? Wn i ddim... ond mi wnes i adael yr ysgol ar ôl iddo fo adael.'

'Pam?'

'Doedd na ddim pwynt cario mlaen, trio gorffen Lefel A heb athro iawn, a fawr o awydd beth bynnag.'

Tynnodd Bethan Gwynfor ati gerfydd ei grys a phlannu cusan gynnes ar ei wefusau, lapiodd yntau ei freichiau amdani a theimlo gwres croen cynnes ei hysgwyddau dan ei bawennau garw. Gwasgodd hithau ei chorff yn nes ato, roedd eisiau teimlo ei agosrwydd, ysai am i'w freichiau ei gwasgu'n dynnach, fel roedd hi yn ei wasgu ef. Ymatebodd yntau a bu'r ddau ynghlwm yn ei gilydd yn cofleidio a chusanu am yn hir. Roedd yr haul yn machlud yn ddisglair goch dros y Garn, ond nid oedd gan yr un o'r ddau fymryn o ddiddordeb yn yr olygfa ryfeddol.

Llais Sylvia a ddaeth â'r ddau yn ôl i Lan ffrwd, 'Gwyn! Gwyn... mae dy dad ar ei ffordd 'nôl o'r Llew a dydi o ddim mewn hwyliau da. Bethan, gwell i ti fynd am adra dwi'n meddwl, ond gofala bo chdi ddim yn cwrdd efo Arwyn.'

'Pam? Be sy'n bod?' holodd hithau.

'Er dy les di dy hun a phawb arall, plis Bethan.'

'Gwell gwneud be mae Mam yn 'i ofyn Beth. Os ydi o 'di bod yn yfed ac mewn hwyliau drwg, gwell peidio â'i gythruddo.'

Doedd Bethan ddim yn deall pam y byddai hi'n ei gythruddo, ond roedd yn ddigon call i sylweddoli fod rhybudd Sylvia yn un roedd rhaid gwrando arno. Estynnodd a rhoi un gusan sydyn ar foch Gwynfor.

'Cymer ofal, wela i di fory?'

'Fwy na thebyg,' roedd meddwl Gwynfor yn rhywle arall eisoes.

Roedd sŵn car i'w glywed yn y pellter a'i olau yn cael ei daflu i'w cyfeiriad bob hyn a hyn, trodd Bethan a chychwyn am y ffordd drwy'r gadlas yn hytrach na thrwy'r iard.

'Tyrd,' sibrydodd Sylvia, 'rwyt ti wedi bod yn gwylio teledu efo fi, ok?' A dilynodd Gwynfor ei fam ar wib ar draws yr iard ac i mewn i'r tŷ. Fel roedd y drws yn cau trodd y car i mewn drwy'r giât i'r iard ar wib gan osgoi'r cilbost o drwch blewyn. Safodd fel rhyw fwystfil byrbwyll a lledodd arogleuon rwber drwy'r iard. Cyfarthodd y ci.

'Cau dy blydi ceg,' cyfarthodd Arwyn yn ôl wrth gamu allan o'r car. 'Blydi anghenfil uffern!' Cychwynnodd am y tŷ ac wrth weld ei fod heb gau drws y car, rhegodd eto cyn dychwelyd a rhoi cic egar i'r drws.

* * *

Cerdded adref oedd hanes Bethan, a thywyllwch yn cau am yr ardal. Erbyn hyn doedd y machlud ddim ond llinellau main cochion yn lliwio gwaelodion y cymylau wrth i dywyllwch eu meddiannu. Roedd y gwyddfid ar ei orau a Bethan yn cael ei throchi yn eu harogleuon melys. Cerddai am adref yn y lled-dywyllwch, ei cham yn araf a lled ymdrechgar, cymerai gip yn ôl yn gyson ac weithiau oedai yn hir i wrando ar sŵn y nos, cyn parhau ar ei siwrnai. Erbyn iddi ddechrau dringo allt Rhiw Goch roedd y cloddiau fel petaent yn cau amdani, a'r llwyni drain duon fel cymylau tywyll uwch ei phen. Cododd tylluan frech oddi ar fymryn o ffens gan gipio'i hanadl a chodi gwallt ei gwar. Oedodd eto ar ben y rhiw a syllu'n ôl ar ffer Glan Ffrwd. Roedd y ffermdy a'r iard yn olau disglair gwyn. Ni chlywai 'run smic oddi yno bellach, dim ond cyfarthiad achlysurol y ci fel petai am atgoffa'r fro am ei fodolaeth fechan.

'Tydi poeni ddim yn mynd i newid dim,' meddai yn uchel wrthi ei hun wrth i ystlum ddawnsio'n osgeiddig heibio'i phen, 'a does gen ti ddim hawl i fod mor ddigywilydd ychwaith,' meddai gan edliw i'r creadur oedd newydd wibio heibio. Trodd ei golygon am Dyddyn Bach a chychwyn cerdded gyda phenderfyniad newydd yn ei cham.

'Rwyt ti'n hwyr iawn heno,' llais ei mam o berfeddion y siambr wrth iddi gamu dros riniog y bwthyn.

'Hwyrach na Greta hyd yn oed,' ychwanegodd llais ei thad.

'Be, fuodd Greta draw?'

'Do, mi wnaiff hi alw fory medda hi.'

'Oedd ganddi ryw newydd?'

'Pwy a ŵyr, roedden ni yn ein gwlâu, ryw sgwrs drwy'r pared oedd hi. Lle buost ti?'

'Gweld Gwynfor.'

'O!' ychwanegodd ei mam yn awgrymog, 'Wela i'.

Ond ni ddwedodd ei thad 'run gair.

'Nos da.'

Echdoe...

'**O**edd raid i ti wisgo'r hen sgrepyn iwnifform 'na?' Roedd llais Glad yn diasbedain drwy'r neuadd, yn gwbl fwriadol. Aeth pawb yn fud a llanwyd y gwacter gan annifyrrwch y gellid ei gyffwrdd bron.

'Diolch am y croeso, Glad, mae pawb arall yn falch 'mod i yn yr iwnifform,' atebodd Gruff yn dawel fyfyrgar.

'Doedd dim angen i ti fynd, yn nag oedd!' oedd unig ateb Glad.

'A be wyt ti felly, cefnogwr ffasgiaeth? Dwi ddim yn cofio i chdi fod yn gefnogwr brwd iawn i Mosley a'i griw.'

'Dadl gloff iawn, Gruff, os ca i ddweud, mae honna angen ffyn bagla cyn dechra. Nid pwy ydan ni'n wrthwynebu ydi'r cwestiwn ond sut 'dan ni'n gwrthwynebu. Os ti'n codi dwrn, dwrn gei di yn ôl.'

'Ac os nag wyt ti'n gwrthwynebu drygioni, magu drygioni wyt ti.'

Roedd y neuadd wedi dod dros ei hannifyrrwch erbyn hyn a sŵn siarad a chwerthin yr Yrfa Chwist wedi ailsefydlu ei hun, er bod ambell lygad yn rhyw giledrych ar y ddau yn trafod wrth y drws.

'Faint o saib oddi wrth y rheibio a'r lladd wyt ti'n gael, felly?' ychwanegodd Glad.

'Pwy sy angen bagla i'w dadl rŵan 'ta?' ymatebodd Gruff yn sydyn.

'Tyrd yma'r cena drwg.' Lledodd Glad ei breichiau a syllodd Gruff yn syn arni.

'Be yn fan hyn?'

'Dwi yn falch o dy weld di, er gwaetha'r iwnifform.'

Cofleidiodd y ddau, a throes y ciledrych yn wên ar wynebau pobl y pentref. Gwenodd Glad a phefriodd ei llygaid, er mai cilio i'w gragen wnaeth Gruff.

'Good evening everyone and welcome to the Annual Christmas Whist Drive, and we especially welcome those who are in our forces and home on leave...' cyhoeddodd Gruffydd John mewn llais hynod ffurfiol.

'Rhywun yn falch o dy groesawu di yn dy iwnifform felly, er wn i ddim lle cafodd o'r Saesneg crand 'na, a does 'na mond un Sais yma hyd y gwela i,' sibrydodd Glad.

'Trio bod yn glên mae o.'

'Fasa fo'n llawer iawn cleniach yn Gymraeg,' meddai'n ddigon uchel i hanner y neuadd ei chlywed.

'Wyt ti 'di meddwl rywdro am ffrwyno dy dafod?'

'Oes gen i geg fatha ceffyl neu rywbeth?'

A dyma Gruff yn gollwng pwff o chwerthin aflywodraethus nes denu llygaid pawb ato.

'Let us begin the Drive and all the best to you all, the goose awaits you...'

Aeth y stafell yn dawel, a phawb yn eistedd fesul pedwar. Doedd dim i'w glywed heblaw am siffrwd y cardiau yn cael eu cymysgu a'u rhannu. Felly y bu hi am gyfnod, y gloch yn canu'n gyson a phobl yn codi a newid byrddau mewn cylchdro disgybledig. Chwiliai Gruff am lygaid Glad wrth newid bwrdd bob tro, a gellid gweld y ddau yn rhannu gwên o bellter.

'We are now halfway, good friends, we will take a ten-minute break, thank you.'

Ffrwydrodd sŵn drwy'r neuadd, fel petai pawb wedi bod yn aros am yr arwydd i ddechrau parablu, amryw yn tanio sigarét, gan aros wrth y byrddau am baned sydyn a chacen, a manteisio ar eu cyfle olaf i brynu tocyn raffl. Pwyntiodd Glad at y drws â'i llygaid tywyll a gwên ddireidus dros ei hwyneb, nodiodd Gruff cyn cychwyn am y drws. Wedi agor drysau trymion y neuadd syfrdanwyd y ddau gan liw rhedynog yr awyr, wrth i'r haul baratoi i suddo'n urddasol y tu draw i'r Garn.

'Ydi dy feic gen ti?' holodd Glad ar amrantiad.

'Ydi, pam?'

'Tyrd, mi awn ni i lawr i'r traeth.'

'Be rŵan?'

'Nage wythnos nesa, y twpsyn.'

'Ond beth am y *Whist Drive*?'

'Mi gaiff yr ŵydd fyw!'

'Ydi dy feic gen ti?'

'Nac ydi – ond ga i eistedd ar far dy feic di.'

'Be, a chael dy weld efo sbrych mewn iwnifform?'

'Dwi fod i gynnal ysbryd ein hogiau dewr.'

A chan chwerthin fe wibiodd y ddau ar hyd y ddwy filltir o ffordd gul rhwng llwyni drain duon a moroedd o wyddfid, i gyfeiriad y traeth. Pwysodd Glad ei phen yn ôl a theimlo brest Gruff yn gyhyrog nerthol yn ei dal.

'Wnest ti ddim ffendio cariad ar dy deithiau felly?'

'Heblaw am Sandra yn Carlisle, Jane yn Southampton a Deleila yn Yr Aifft, naddo.'

Chwarddodd Glad, 'Dim ond er mwyn i fi wybod pwy ydi'r gwrthwynebwyr.'

Doedd yr un adyn ar y traeth, a cherddodd y ddau law yn llaw ar ymyl y tonnau ac olion y machlud yn dal i losgi'r gorwel.

'Tyrd,' meddai a throi at Gruff, 'mi awn ni i eistedd ar y graig acw,' a rhedodd gan lusgo Gruff ar ei hôl. Eisteddodd y ddau gan syllu ar y tonnau ysgafn yn torri ar y traeth.

'Dim ond ni'n dau sy'n bodoli yr eiliad yma, does 'na neb arall, dim ond ni,' meddai Glad gan wasgu llaw Gruff.

'Faswn i ddim mewn iwnifform tasa hynny'n wir,' mentrodd Gruff heb wybod yn iawn sut i ymateb.

'Oedd rhaid i ti sbwylio'r hudoliaeth?' Gollyngodd Glad ei law.

'Sbwylio pa hudoliaeth?' holodd yn ddiniwed.

Edrychodd Glad arno mewn anghrediniaeth. 'Dwi ddim yn siŵr be sydd gynnon ni yn gyffredin weithia.'

Cododd Glad. Cerddodd yn ôl i gyfeiriad yr adwy i'r traeth.

'Glad,' galwodd Gruff yn llywaeth.

'Paid â galw Glad arna i. Dos yn ôl at dy fêts yn y blydi fyddin 'na.'

'Glad, plis.'

'Na, Gruff,' taflodd ei geiriau dros ei hysgwydd, wrth i Gruff ruthro tuag ati a'i thaclo fel chwaraewr rygbi. Syrthiodd y ddau fel sacheidiau o datw ar y tywod meddal. 'Paid y lymbar!' A dyrnodd Glad ei gefn.

'Aw, aw! Paid, mae gen ti ddwrn fel dur!'

'Be wyt ti'n ddisgwyl, os oes rhywun yn ymosod arna i.'

Yna, ar amrantiad, roedd y cyfan yn foddfa o chwerthin wrth i Gruff ei goglais dan ei cheseiliau. Rowliodd y ddau yn y tywod, Glad yn troi fel sliwen i geisio osgoi ei ddwylo, a throes y cyfan yn goflaid gynnes ar y traeth unig wrth i'r tywyllwch gau amdanyn nhw.

Ddoe...

Gwthiodd Mot ei drwyn oer gwlyb i gledr llaw Margaret. Syllai ei ddau lygad brown arni, ei ddwy glust llipa wedi eu gwthio yn ôl, a'i gynffon yn siglo'n ysgafn. Rhedodd Margaret ei bysedd drwy flew trwchus ei war a phlygodd yntau ei ben mewn boddhad.

'Be ydan ni yn 'i wneud yma, dwed Mot...' Roedd deigryn yn ei llygaid wrth i'w golygon ddilyn y rhesi ceimion oedd yn llifo ar hyd erwau'r Cae Dan Tŷ i gyfeiriad y nant islaw.

'Creu byd arall, Margaret.'

Trodd ei phen i weld Iorwerth yn sefyll wrth ddrws Tyddyn Bach, y golau o ddrws y gegin yn ei rhwystro rhag gweld ei ddagrau yntau.

'Ydan ni?'

'Mae 'na egin beth bynnag.'

'Mae angen mwy nag egin.'

'Amynedd yn rhinwedd.'

'Ac yn beth prin.'

'Gormod o amynedd ddim yn rhinwedd.'

'Oes gan Mr. Jones History ateb i bopeth?'

'Jones History wedi hen ddiflannu, Iorwerth Tyddyn Bach sydd yma bellach.'

'Ydw i'n adnabod hwnnw dŵad?'

'Gobeithio, achos roedd o'n gobeithio cael cwtsh gen ti.'

Rhoes Margaret un mwythad olaf i war Mot, a throi a dychwelyd at ddrws Tyddyn Bach a chofleidio Iorwerth.

'Pwy ddeudaist ti oeddet ti?' meddai gan ei dywys yn ôl i'r tŷ.

Echdoe...

'Pa un ydi dy hoff seren di?' holodd Glad. Gorweddai yn y tywod meddal yng nghesail Gruff yn syllu ar yr awyr yn llawn o sêr.

'Rioed 'di meddwl am y peth. Ond ga i wybod pa un rwyt ti'n 'i hoffi rŵan, decini.'

'Dydw i ddim yn deall pobl sy'n byw yng nghanol rhyfeddoda a ddim yn sylweddoli hynny.'

'Dwi wedi sylweddoli dy fod ti'n dipyn o ryfeddod.'

'Sebon meddal yn werth dim, Gruffydd Tu Hwnt i'r Afon.'

'Ond rwyt ti'n rhyfeddod, Glad. Yn sicr does 'na neb tebyg i ti.'

'Yr arad!' meddai Glad yn bendant iawn.

'Arad?'

'Y sêr gorau gen i ydi'r arad.'

'Y seren ora ddwedest ti, rŵan mae na fwy nag un.'

'Dim angen bod mor ddeddfol, y jolpyn gwirion.'

'Ble mae'r arad 'ma? Oes 'na geffyl gwedd hefyd?'

'Wyddost ti ddim byd am yr arad?'

'Ble maen nhw?'

'Fan acw,' a phwyntiodd Glad at yr Arad.

Doedd Gruff ddim mewn hwyliau dysgu am sêr, cododd ar ei ddau ben glin a chymryd arno ei fod yn ceisio dilyn bys Glad, cyn dechrau cusanu ei bysedd meinion.

'Paid â lolian.'

'Lolian? Fi?'

'Mae'r arad yn hardd ac yn pwyntio at seren y gogledd bob amser.'

'Y sosban wyt ti'n feddwl, felly.'

'Yr aradr.'

'Y sosban, edrych arni, tydi rheina ddim byd tebyg i arad.'

'Paid â siarad lol, wrth gwrs mai arad ydi o.'

'Edrych arnyn nhw, pedair congl sosban a wedyn y ddolen, dim byd symlach.' Roedd Gruff ar ei liniau yn pwyntio at y sêr erbyn hyn. Cododd Glad hithau ar ei dau ben glin gan lapio'i breichiau am ei wddw.

'Pryd wyt ti'n mynd yn ôl?'

'Eisiau cael gwared arna i'n barod.'

'Paid â rwdlan.'

'*Leave* am saith diwrnod, 'nôl ymhen pum diwrnod.'

'A be wedyn?'

'Cyfrinachau'r fyddin, Glad. Fedra i ddim dweud wrthat ti fel yna, fe allet ti fod yn *spy* i Lord Haw-Haw.'

'Wrth gwrs 'mod i. Mae gen i dortsh fan hyn i fflachio unrhyw wybodaeth i *U boat* sy allan yn fan acw yn barod i dderbyn fy negeseuon bob noson.'

'Wn i ddim yn iawn, ond mae 'na sôn am Yr Aifft.'

'Yr Aifft! Gei di weld y pyramidia felly.'

'Mae'r iwnifform yn iawn, os dwi'n cael gweld pyramids. 'Dach chi'n oriog iawn eich barn, Madam.'

'Cenfigen bo chdi'n cael gweld y pyramidia, dim byd i wneud efo iwnifform, y cena.'

'Ac mae'n iawn bod yn genfigennus ond yn rong i wisgo iwnifform.'

'Wnes i ddim dweud fod cenfigen yn iawn, dim ond cydnabod 'mod i'n ei deimlo wnes i.'

Rhoes ddyrnod ysgafn i'w gefn.

'A chredu mewn trais, ond yn ffodus dwi ddim yn credu mewn dyrnod am ddyrnod.'

'Wyt ti'n debyg o fod yn gorfod ymladd yn Yr Aifft?'

'Gofyn i'r Cadfridog Romell neu Monty, nhw sy'n gwybod be sy ar y gweill yn y lle 'na.'

'Mi wnei di gymryd gofal, yn gwnei? Dwi eisiau i ti ddŵad yn ôl.'

'Er nad ydw i'n heddychwr.'

'Am mai ti wyt ti, ac mi wn i pa mor fyrbwyll wyt ti.'

'Byrbwyll? Fi'n fyrbwyll! Pwy gafodd y syniad byrbwyll o adael fy apwyntiad efo gŵydd ffresh a phac o gardia a dod i fan hyn i lenwi fy sgidia efo tywod a chael ryw ferch yn fy nyrnu i.'

'O ddifri, Gruff.'

Trodd Gruff ati, rhoes ei ddwy law i amgylchynu ei hwyneb, syllodd yn ei llygaid, a phlannodd gusan ar ei gwefusau cochion.

'Dwi ddim yn planio cael fy lladd, Glad bach. Mae Winston a fi wedi gweithio petha allan yn iawn. Mi ddof yn ôl atat ti, dwi'n addo.'

'Dwi ddim yn amau nad wyt ti a Winston wedi cynllunio hynny, ond tybed ydi Adolf yn cytuno efo'r cynllunia.'

Ddoe...

Gwibiai rhyw ystlum bach penderfynol yn ôl ac ymlaen uwchben buarth bychan taclus Tyddyn Bach tra troediai Bethan yn ddiamynedd ar hyd y cerrig nadd. Treiddiai arogleuon TVO yn ysgafn drwy'r awel a'r Ffyrgi bach fel petai yn teimlo cywilydd am eu gollwng, fel hogyn bach wedi ei ddal yn gollwng gwynt. Oedai mymryn o gochni ar y gorwel, ond munud wrth funud diflannai mymryn mwy o amynedd Bethan. Byddai'n nos dywyll cyn bo hir, a doedd dim golwg ohono. Ochneidiodd yn uchel a chafodd ei themtio i dywallt ei syniadau tywyllaf am Gwynfor. Ond fel y ffurfiai'r geiriau yn ei genau clywodd sŵn tractor yn y pellter. Doedd dim amheuaeth mai Gwynfor oedd ar ei ffordd, gellid adnabod y ffordd roedd yn chwarae efo'r sbardun. Gyrrai fel hogyn yn trin tegan a'r peiriant grymus yn rhoi rhu anfodlon bob hyn a hyn. Agorodd Bethan y giât a chamu at ochr y ffordd a gwên groesawgar wedi cymryd lle yr ebychiadau. Safodd y peiriant gwyrdd wrth ei hymyl ac agorodd ddrws y cab.

'Sori 'mod i'n hwyr. 'Nhad yn chwithig fel arfer.'

'Wyt ti'n hwyr?' atebodd hithau yn ddi-hid gan ddringo'r ddeuris i'r cab. Eisteddodd ar y sedd ochr, ei llaw ar ei ysgwydd i'w dal ei hun yn ei lle. Caewyd y drws a chyda rhu arall roedd y cerbyd ar ei ffordd.

'Traeth?' holodd.

'Pam lai?' a chyda hergwd roedd y ddau yn gwibio mynd ar hyd y ffordd gul i gyfeiriad y traeth.

Gadawyd y tractor ar ben y llwybr a arweiniai at y traeth, a chan gydio yn ei llaw tywysodd Gwynfor hi drwy'r giât mochyn a heibio ymylon y twyni tywod i gyfeiriad glan y môr.

'Pam bod dy dad yn chwithig heno?'

'Mae o'n flin am lot o betha y dyddia hyn, dwi ddim yn siŵr pam a dydi o byth yn fodlon dweud. Felly does dim amdani ond dioddef ei dymer ddrwg, mae gen i ofn.'

Nid oedd 'run creadur ar y traeth, ond roedd düwch y nos a düwch cymylau glaw yn dechrau meddiannu'r gorwel. Deuai arogleuon heli yn donnau tuag atynt wrth droedio ymylon uchaf caregog y traeth. Roedd Bethan yn falch o gael llaw i gydio ynddi, a theimlai gledr gynnes, gynnes Gwynfor yn ei dal yn gadarn. Gwasgai ei bysedd yn ormodol bob hyn a hyn, fel petai arno ofn ei cholli, ond ni ddwedodd Bethan air. Tynnodd Bethan ei sandalau wedi iddyn nhw gyrraedd y tywod meddal a'u gollwng ar y cerrig gyferbyn â'r llwybr. Trodd i wynebu Gwynfor gan hanner dawnsio o'i flaen a'i annog i redeg, neu ddawnsio drwy'r tywod i gyfeiriad y tonnau.

'Wyt ti'n gadael dy sandals yn fan yna?'

'Ydw siŵr, a phaid â gofyn fydd 'na rywun yn eu dwyn nhw, does na neb ar gyfyl y lle. Tyrd.'

Gollyngodd Bethan ei law a rhedeg i gyfeiriad y môr, ac yn gyndyn a swil tynnodd yntau ei esgidiau a'u gadael wrth ochr sandalau Bethan cyn brysio ati. Golchai y tonnau dros ei thraed bellach a hithau yn gwasgu ei bodiau i mewn i'r tywod meddal wrth syllu allan i'r môr tywyll o'i blaen.

'Weithiau, dwi'n teimlo y gallwn i gerdded allan i ganol y môr.'

'Paid â thrio gwneud hynny heno, fedra i ddim nofio, felly cofia, fydd 'na neb i dy achub di.'

'Fedri di ddim nofio?'

'Na fedra.'

'Wedi dy fagu hanner milltir o'r traeth!'

'Wedi dy siomi di? Wedi meddwl nofio'n noeth efo fi heno oeddat ti?' meddai'n awgrymog.

Rhythodd Bethan yn syn arno, a neidiodd yntau i osgoi rhag i'r don wlychu gwaelod ei drowsus.

'Rwyt ti'n gwlychu.'

'Dwi eisiau gwlychu 'y nhraed. Tyrd mi gerddwn ni.'

Llusgai Bethan ei thraed yn fwriadol drwy'r tywod gwlyb a'r mân donnau yn golchi dros ei fferau. Troediai Gwynfor ryw lathen neu ddwy oddi wrthi gan gadw'i drowsus yn sych. Roedd y ddau yn fud, a dim ond sŵn y tonnau yn gyfeiliant i'w taith. Roedd y penrhyn yn dywyll, dywyll erbyn hyn, ac er bod y lleuad yn sbecian heibio rhyw gwmwl bob hyn a hyn nid oedd 'run seren i'w gweld. Heb iddyn nhw sylweddoli, tywyllwch y cymylau oedd yn duo'r awyr, yn hytrach na thywyllwch nos.

'Mae hi'n mynd i dresio bwrw,' meddai Gwynfor.

'Nac ydi siŵr,' atebodd hithau wrth i ddiferion sylweddol wlychu ei boch, 'cawod fach ydi hi.'

Ond mewn dau funud roedd y gawod fach yn ddilyw. Trodd y ddau ar eu sawdl a rhedeg i gyfeiriad y llwybr. Llifai y diferion drwy wallt trwchus Bethan a chael eu sugno gan gotwm ysgafn ei chrys-t tra bod ei jîns yn duo wrth wlychu. Edrychai Gwynfor fel dyfrgi wedi dychryn.

'Ble mae'n sgidia ni?'

'Fan hyn yn rhywle.'

'Am beth *stupid* oedd eu gadael nhw rywsut rywsut ar y traeth.'

'Paid â bod yn gymaint o fabi, dim ond glaw ydi o.'

Gwibiai Gwynfor ar hyd y lan fel dyn gwyllt yn chwilio am ei esgidiau.

'Mi fyddan nhw'n socian.'

'Rwyt ti'n socian yn barod, felly does dim lawer o ots, nagoes?'

'Does dim isio bod yn blydi plentynnaidd yn nag oes!' a chyda'r blydi hwnnw daeth o hyd i'w esgidiau. Roedd y diferion yn rhaeadru oddi ar flaen ei drwyn wrth iddo wasgu ei draed i'w esgidiau gwlybion. Safodd Bethan yn droednoeth yn dal i syllu ar y môr ac ar ewyn gwyn y tonnau yn disgleirio yn y tywyllwch.

'Tyrd wir Dduw, yn lle sefyll yn fan yna yn y glaw.'

Ni ddaeth gair o'i genau.

'Tyrd,' haliodd ei llaw, ac yn gyndyn cododd ei sandalau â'i llaw rydd, rhyddhaodd ei hun o grafanc Gwynfor a chychwyn rhedeg yn ysgafn droed dros y cerrig i gyfeiriad y llwybr.

'Fory'n dŵad,' taflodd ei geiriau dros ei hysgwydd ato ac yntau yn parhau i stryffaglio i gau ei garrai gwlybion.

Echdoe...

Mynd i'r siop wnaeth Glad, roedd hi angen fymryn o neges, a phan gamodd dros y trothwy aeth y lle yn fud a chynffon hanner brawddeg Laura yn hongian fel hen ham uwchben pawb.

'... rhai yn dweud 'i fod wedi 'i ladd.'

Treiddiai'r annifyrrwch fel barrug dros y lle.

'Sut ydach chi i gyd?' torrodd Glad ar y tawelwch.

'Rydan ni'n iawn,' mentrodd Laura, 'Sut wyt ti 'nghariad bach i?'

'Dwi'n iawn siŵr,' atebodd Glad yn ddi-hid.

'Dwyt ti ddim 'di clywad, yn naddo Glad?' meddai Mrs Morgan.

'Clywad be?'

'Gruff...' meddai hithau yn betrus, 'mae 'i fam wedi clywad...'

Chlywodd Glad ddim mwy o eiriau Mrs. Morgan, trodd ar ei sawdl ac aeth allan drwy'r drws, gan adael cloch y siop yn tincian yn wyllt. Rhedodd drwy'r pentref, gwibio i ben yr allt a chyda'i gwynt yn ei dwrn ffrwydrodd drwy ddrws Tu Hwnt i'r Afon.

'Be sydd 'di digwydd i Gruff?' llifodd y geiriau o'i genau.

'Glad bach!' ochneidiodd Lisabeth Tu Hwnt i'r Afon, 'Wyddon ni fawr ddim.'

'Ond roedd Mrs Morgan y siop a Laura yn trafod y peth rŵan hyn.'

'Daeth telegram drwy'r post.'

'Be sy 'di digwydd iddo fo?'

'Mae o wedi 'i anafu Glad, wyddon ni ddim pa mor ddrwg, dim

ond 'i fod o wedi 'i anafu ac wedi 'i gludo i sbyty rywle yn Yr Aifft. Dim ond newydd glywed ydan ni. Rown i ar fin cychwyn draw acw i ddeud wrthat ti.'

Llifai dagrau i lawr dwy foch Glad wrth i Lisabeth blethu ei breichiau sylweddol amdani a'i gwasgu'n dynn.

'Rown i'n ofni...'

'A finna hefyd, Glad bach.'

'Dwedes wrtho fo am beidio bod yn fyrbwyll ac i gymryd gofal... Ond be mae'r ffŵl gwirion wedi 'i neud... mi wna i hanner 'i ladd o pan ddaw o'n ôl.' Oedodd am funud a dechrau chwerthin wrth i'r dagrau ddal i lifo.

'Wedi anafu mae o Glad, ac mae o mewn sbyty – wnaiff o ddim meiddio peidio gwella.'

Eisteddodd yn ddwy yn cofleidio'i gilydd ar y setl ac yno y bu'r ddwy am amser yn sugno cysur.

Ni chafwyd newyddion pellach am Gruff am rai wythnosau er i Lisabeth holi a holi. Roedd y papurau yn llawn hanesion am fuddugoliaeth hanesyddol yng ngogledd Affrica a bod Monty wedi gorchfygu tanciau pwerus Rommel. Dywedid yn y pentref fod Gruff yn rhan o'r frwydr honno, ond doedd dim unrhyw gadarnhad nac ychwaith unrhyw newydd am ei anafiadau. Ond pan ddaeth Gwyn Rhyd Olau yn ôl ar *leave* am beth amser fe gafwyd mwy o wybodaeth. Adroddai Gwyn yr hanes gyda brwdfrydedd y cyfarwydd, i bwy bynnag oedd yn fodlon gwrando,

'Rown i yno chi, yn y fan a'r lle yn El Alamein yn y frwydr fawr, tancia mawr Rommel yn ymosod efo'u holl rym a ninna yn amddiffyn yn ein tancia bach cyflym. Brwydro am oria mewn gwres llethol. Mi welis i danc Gruff reit yng nghanol y frwydr, yn saethu yn ddi-stop ac yn gwau'i ffordd yn gyflym drwy'r twyni a thrwy adfeilion y tai. Dyna pryd cafodd ei danc ei daro gan siel Almeinig, fe chwalodd drac chwith y tanc yn yfflon, felly doedden nhw ddim yn gallu symud modfedd, roedden nhw yn *sitting ducks*. Fe gawson nhw orchymyn i ddianc, ond be wnaethon nhw oedd dechra tanio at y gelyn. Tanio a thanio yn frawychus o sydyn, yn wir welis i 'rioed danc yn llwytho a thanio mor sydyn. A brensiach, roedden nhw'n effeithiol, fe nathon nhw daro tri os nad pedwar tanc efo ergydion marwol, tanio pob siel oedd ganddyn nhw cyn dechrau dringo allan. Gwelis i Gruff â'n llygad fy hun yn dringo allan, a phan oedd rhyw hanner ffordd allan, fe gafodd y tanc ei daro wedyn gan siel. Mi welis i Gruff yn cael ei daflu fel cadach gan y ffrwydrad, yn hedfan am lathenni. Mi laddwyd dau oedd efo fo yn y tanc, ond roedd o'n iawn achos mi gododd ei fawd arna i wrth iddo gael ei gario i'r ambiwlans. Roedd o'n arwr wir i chi, a phawb yn sôn am ddewrder y pedwar ohonyn nhw.'

Ar ei gwaethaf roedd 'na falchder yn cronni ym mrest Glad wrth wrando ar yr hanes. Roedd Gruff yn rhan o ddiwrnod hanesyddol y rhyfel, roedd o yno pan drodd y rhyfel, neu felly roedd Churchill wedi disgrifio'r frwydr.

Ond er clywed yr hanes, ni wyddai Glad beth oedd ei anafiadau eto fyth, dim ond ei fod wedi codi ei fawd ar Gwyn a'i fod mewn ysbyty yn Cairo. Ceisiai feithrin amynedd, ond nid oedd hynny yn hawdd.

Ddoe...

'Pa hen begor oedd yn gorfod dioddef dy ofal di?' ffrwydrodd sylw Greta o'i cheg wrth iddi ddod drwy ddrws Tyddyn Bach.

'Yr hen labwst 'na o Matlock.'

'Hwnna sy'n byw yn Rose Cottage?'

'Tŷ'n Llan os gwelwch chi'n dda.'

'Na, na, Rose Cottage, Bethan bach. Y cwsmer sy'n iawn bob amser.'

'A finna yn straffaglu i'w godi o'r gadair, iddo fo gael mynd i'r tŷ bach, dyma fo'n cyhoeddi'n hy i gyd, "You do not have a word for toilet in Welsh, do you?" "Of course we do, everybody needs a toilet – in any language, it's tŷ bach, a little house," "That's my point Betan, you call it a little house rather than a toilet, the language just cannot cope with everyday life."'

'Y cena powld!'

'Mae o'n iawn dim ond i ti anwybyddu rhai petha. Ond rargian mae o'n drwm.'

'Rhaid i ti gymryd gofal, rhag difetha dy gefn,' meddai wrth gyffwrdd cefn llaw Bethan yn ysgafn. Ar un ystyr, y llabwst o Matlock ddaeth â'r ddwy at ei gilydd. O ganlyniad i'r cyffyrddiad ysgafn ar gefn llaw, edrychodd y ddwy i lygaid ei gilydd. Gwenodd eu llygaid ar ei gilydd.

Trodd y wên yn chwerthiniad ysgafn, nerfus.

Estynnodd Greta ei llaw, anwesodd Bethan ei bysedd yn dyner. Chwarddodd y ddwy yn ysgafn wrth i fysedd eu dwylo blethu ynghyd.

'Rown i'n meddwl bo ti'n llygadu rhyw hogyn. Ac mai hynny oedd yn gyfrifol am y lliwio gwallt a ballu.'

'Lecio lliw ydw i,' oedodd am eiliad, 'rown i'n meddwl bo chdi a Gwynfor Glan Ffrwd...'

'Ydan... ond rhywsut rown i'n anniddig, doedd petha ddim yn iawn... tydan ni ddim yn perthyn i'r un byd, rywsut.'

'Be amdana i felly? Tydi gwallt pinc a gwallt coch ddim yn cyfuno rhywsut, ydyn nhw?' gwenodd wrth siarad.

'Ond mi fedri di newid lliw.'

'Piws a choch?'

'Paid â rwdlan,' gwasgodd ei llaw

'Aw!'

Cododd Greta a chlosio at Bethan, gwthiodd ei gwallt pinc yn ôl a'i chusanu'n dyner ond yn angerddol a lapio'i breichiau amdani. Doedd Bethan ddim wedi teimlo'r fath orfoledd erioed o'r blaen. Gwyddai mai dyma oedd hi wedi bod yn ysu amdano ers misoedd, os nad mwy.

Ni wnaeth yr un o'r ddwy unrhyw ymdrech i guddio'u perthynas, a phrin y gallent guddio'u cariad. Roedd Margaret wedi synhwyro'r newid wrth y bwrdd brecwast trannoeth.

'Be sy'n bod, Bethan? Mae 'na rywbeth gwahanol amdanat ti.'

'Nag oes siŵr.'

'Be fuoch chi'n wneud neithiwr?'

'Dim byd.'

Dal i syllu dros ymyl ei bapur ar fyd dieithr iawn wnâi Iorwerth.

'Rwyt ti 'di ffeindio cariad arall, yn dwyt?'

Rhoddodd Iorwerth ei bapur i lawr ar y bwrdd.

'Dim y Gwynfor Glan Ffrwd 'na, gobeithio!' ebychodd Iorwerth.

Atebodd Bethan ddim.

'Na dim Gwynfor, mae'r tawelwch yn dweud y cyfan,' meddai'i mam.

'Pwy ydi o?' mentrodd Iorwerth i'r byd dieithr.

'Cwestiwn anghywir, Iorwerth,' mentrodd Margaret ymhellach gan syllu i lygaid Bethan, 'mae "pwy ydi hi" yn fwy addas.'

Doedd Iorwerth ddim yn deall.

'Greta,' meddai Margaret.

'Sut oeddet ti'n gwybod?' holodd Bethan.

'Ches i mo 'ngeni ddoe.'

''Dach chi'n deall? 'Dach chi ddim yn meindio?'

'Ti ŵyr sut wyt ti'n teimlo, ti ŵyr be sy'n iawn i ti. A dwi'n meddwl y byd o Greta… ond cofia rhaid i ti ddweud wrth Gwynfor heddiw, a mynd i'w weld o.'

Ddoe...

Ni welodd Bethan neb na dim ar y ffordd i Glan Ffrwd y bore hwnnw. Doedd bysedd y cŵn yn eu holl ogoniant yn ddim, gallai pob bronfraith ganu â'u holl nerth, yn wir cannoedd ohonyn nhw, a fyddai'r ferch gwallt goch ddim wedi clywed nodyn a châi holl beraroglau y gwyddfid ddim unrhyw effaith chwaith. Syllai'n syn ar y tarmac o'i blaen gan wthio ar bedal y beic yn gwbl ddifeddwl. Ond wrth nesu at giât Glan Ffrwd, cododd ei phen. Deuai synau dieithr o'r iard. Roedd lleisiau dieithr yn diasbedain drwy'r siediau, a llais Arwyn yn amlwg iawn ei regfeydd yn llifo'n lliwgar. Oedodd ar ymyl y ffordd. Ni allai glywed llais Gwynfor. Ond roedd lleisiau eraill yn dadlau gydag Arwyn. Tybiai mai dychwelyd adref fyddai orau. Ond ni allai ddychwelyd at ei mam heb ei bod wedi dweud wrth Gwynfor. Penderfynodd wthio'r beic i gyfeiriad y giât. Mentrodd yn nes at yr iard, lle roedd y gweiddi a'r rhegi'n fyddarol. Yn araf, daeth y digwyddiadau ar yr iard i'r amlwg. Yno, roedd lori cario peiriannau anferth a thri o beiriannau Arwyn wedi eu llwytho arni.

'Does gen ti ddim syniad sut mae ffarmwrs go iawn yn byw eu bywyd ac yn ennill eu tamaid. Blydi papur sy'n rheoli popeth rwyt ti'n neud, y bastad.' Llifai ei eiriau i gyfeiriad gyrrwr y lori a'i bartner.

'Gwneud ein gwaith 'da ni, Arwyn, a dwyt ti ddim yn ei gwneud hi'n hawdd i ni.'

'Gwneud hi'n hawdd i ti? Be wyt ti eisio i mi neud, neidio ar y tractor a'i roi o ar dy blydi lori di?'

'Nid arna i ma'r bai mai fel hyn ma petha.'

'Ond fydd hi ddim fel hyn wythnos nesa... tasat ti mond yn...' Trodd Arwyn ei ben gan ddilyn llygaid y ddau oedd bellach yn syllu ar Bethan. 'Be wyt ti da 'ma? Dod 'ma i weld y sioe, decini.' Roedd ei lygaid yn fflachio wrth ychwanegu, 'Dod i weld y llanast mae dy Anti Glad wedi 'i neud, addo'r blydi byd...' Trodd ei lygaid at y ddau ddyn wedyn, 'hwdwch y bastads, ewch â'r blydi lot,' a thaflodd ddarn o bapur a goriad y tractor at draed y ddau, cyn llusgo'i draed i gyfeiriad y sied bellaf.

Ysgydwodd gyrrwr y lori ei ben wrth godi'r papur a'r goriad oddi ar y llawr concrit a rhoi'r allwedd yn llaw ei gydweithiwr. Aeth yntau i gyfeiriad y John Deere heb oedi.

'Bethan! Be wyt ti'n neud 'ma?' trodd Bethan i weld Gwynfor yn sefyll wrth ddrws cefn y tŷ.

'Be sy 'di digwydd i ti?' oedd ymateb Bethan wrth syllu arno. Roedd ei wefus uchaf wedi chwyddo, y gwaed wedi ceulo'n ddu uwch ei phen ac roedd llaid dros ei ddillad i gyd. 'Ydi dy dad...?'

'Mi aeth o'n gandryll pan wnes i ddeud wrtho bod rhaid iddo neud fel roedd gyrrwr y lori'n ddweud.'

Taniodd y John Deere, ac yn araf bach cafodd ei yrru a'i roi ar gefn y lori.

'Be sy'n digwydd?'

''Nhad ddim wedi talu. Mae'r peiriannau 'ma i gyd yn cael eu hurio, dyna mae lot o ffermwyr yn 'i wneud gan 'u bod nhw mor ddrud. Ond doedd 'Nhad ddim wedi dweud wrthon ni 'i fod o'n cael trafferthion talu bob mis. Wydden ni ddim byd... a phan wnes i holi mi ffrwydrodd. Dreifar y lori 'ma stopiodd o rhag 'y nghicio i'n ddidrugaredd wrth i mi geisio 'i gael o i weld synnwyr.'

Erbyn hyn roedd y John Deere wedi ei osod ar gefn y lori a chadwyni wedi eu clymu am ei olwynion.

'Wyt ti'n iawn, was?' holodd gyrrwr y lori. 'Fyddi di'n iawn rŵan? Bydd rhaid i ni fynd.'

'Bydd y tempar wedi tawelu dipyn erbyn hyn, mi fydd pob dim yn iawn.'

'Cymer ofal,' ac ar hynny dringodd i gab ei lori a gyrrodd ei lwyth allan drwy'r giât ac i'r ffordd fawr. Gwyliodd Gwynfor a Bethan y cyfan yn mynd a syllodd y ddau ar gynffon y lori yn diflannu gan adael y buarth mewn tawelwch llethol. Rhuai injan y lori yn y pellter wrth ddringo'r allt goch, ond ar fuarth Glan Ffrwd doedd 'na ddim deryn yn canu, na chi yn cyfarth, dim ond gwacter moel ac awel ysgafn yn ysgwyd mymryn a rhyw giât yn ysgwyd ym mhen pella'r siediau.

'Be wnewch chi rŵan?' mentrodd Bethan ofyn.

'Wn i ddim. Wyddon ni ddim faint o drafferth 'da ni ynddo fo achos dydi 'Nhad ddim yn dweud dim wrth neb.'

'Ond sut fedrwch chi ffarmio heb y peirianna?'

'Wn i ddim, Bethan, dwi ddim yn gwybod be sy'n digwydd.'

Roedd dagrau yn llenwi llygaid Gwynfor, syllodd Bethan arno ac yn reddfol lapiodd ei breichiau amdano a'i wasgu'n dynn. Gosododd ei ben ar ei hysgwydd a theimlai Bethan y dagrau yn gwlychu defnydd tenau ysgwydd ei chrys-t. Ni wyddai beth i'w ddweud na beth i'w wneud. Safodd y ddau ar yr iard wag am amser maith heb ddweud gair a dim i'w glywed ond igian tawel Gwynfor. Syllai Bethan dros ei hysgwydd ar y siediau llwydion digymeriad, ond ni allai symud ac ni allai ddweud gair.

Echdoe...

Doedd Glad ddim wedi disgwyl llythyr gan Gruff. Roedd ei fam wedi cael clywed ei fod yn teithio i Southampton o'r Aifft ar long filwrol, ond doedd neb yn sôn pryd y byddai'n ddigon iach i ddychwelyd adref. Doedd Gruff fawr o lythyrwr, ambell gerdyn post oedd cyfanswm ei ymdrechion cyn ei anaf.

'Llythyr i ti o Southampton,' galwodd Gwilym Post wrth groesi buarth Tyddyn Bach ryw fore Mawrth. Sychodd Glad ei dwylo yn ei brat wrth gamu allan drwy'r drws i'w gyfarfod, 'pwy sy gen ti fan honno, dŵad?'

'Fan honno mae Gruff erbyn hyn,' atebodd hithau wrth gymryd yr amlen felynaidd o'i law. Oedodd heb ddweud mwy.

'Rown i'n meddwl 'i fod o yn Yr Aifft.'

'Na, mae o 'di dod 'nôl erbyn hyn.'

Oedodd Gwilym, fel petai'n disgwyl iddi agor y llythyr o'i flaen.

''Dach chi'n brysur heddiw, Gwilym?'

'Na, digon tawel wyddost ti.'

'Diolch i chi,' meddai gan godi'r amlen fel petai yn codi llaw i ffarwelio.

'O ia, siŵr,' meddai hwnnw yn ffrwcslyd cyn troi'n ôl am y giât ac at ei feic, 'hwyl i ti Glad.'

Oedodd Glad o flaen y tŷ, syllodd ar y lawysgrifen traed brain ar yr amlen, yr inc bron yn biws ysgafn, stamp y brenin wedi ei osod yn daclus yn y gornel a stamp crwn y post brenhinol yn cyhoeddi Southampton fel y man lle cafodd ei hanfon. Teimlai ias oer yn crwydro ar hyd ei hasgwrn cefn ac yn cydio fel llaw oer am ei gwegil. Ni fynnai agor yr amlen. Plygodd yr amlen a'i rhoi ym mhoced ei brat. Trodd a dychwelyd i'r tŷ gwag ac at ei gwaith. Syllodd ar y dresel a'i llestri gleision a llun priodas ei rhieni mewn ffrâm bren lydan. Cododd y llun a syllu ar wyneb y ddau a deigryn bychan yn cronni yn ei llygaid. Ysgydwodd ei phen yn ysgafn, rhoi'r llun yn ei ôl a dychwelyd i'r sgylyri a pharhau â'r gwaith o wneud jam. Drwy'r dydd, bob hyn a hyn byddai'n ymestyn ei llaw at boced ei brat, fel petai am sicrhau bod y llythyr yn dal yno, ond estynnodd hi mo'r amlen allan o'r boced ac aros ar gau wnaeth y llythyr.

Erbyn iddi ddechrau tywyllu roedd Glad yn barod bellach i agor y llythyr. Taniodd y lamp baraffîn oedd ar ganol bwrdd y gegin, oedodd am ychydig eto er mwyn gwneud yn sicr nad oedd y wic yn mygu, a bu'n chwarae'n ddibwrpas, yn codi a gostwng y wic am beth amser. Yna, gosododd y llythyr ar y bwrdd o flaen cadair freichiau ei thad. Ceisiodd dynnu'r plyg o'r amlen fel y gallai orwedd yn wastad ar y bwrdd, ond heb lwyddiant. Camodd ar draws y llawr llechi ac estyn cyllell fechan o'r dresel a'i gosod ar ochr chwith y llythyr. Camodd yn ôl, plygodd dros y bwrdd eto, sythu'r gyllell a cheisio tynnu'r plyg am yr ail waith. Eisteddodd yng nghadair ei thad gan syllu ar yr amlen, y gyllell a'r lamp. Trawodd y cloc mawr naw o'r gloch a Glad yn cyfri'r caniadau yn dawel yn ei meddwl. Yna, cododd y gyllell yn ei llaw chwith a chydio yn yr amlen â'i llaw dde, gosododd y llafn yn y gwagle ar gefn yr amlen. Oedodd eto, golau'r lamp yn fflachio ar y darn o'r llafn oedd yn y golwg, yna mewn dau symudiad chwim torrodd y gyllell drwy'r amlen fregus. Gosododd y gyllell yn ôl ar y bwrdd, roedd ar fin gosod yr amlen yn ôl wrth ei hochr unwaith eto, ond yn chwim a bron yn ddiamynedd estynnodd fysedd main ei llaw chwith i mewn drwy'r hollt yn yr amlen a thynnu'r llythyr un ddalen allan. Roedd y ddalen wedi ei phlygu yn ei hanner, agorodd y plyg a syllu ar y dudalen o ysgrifen o'i blaen, ond heb allu darllen yr un gair. Caeodd ei llygaid yn dynn, fel petai'n ceisio deffro, yna dechreuodd ddarllen y nodyn byr o'i blaen.

Ysbyty'r Fyddin,
Southampton
Chaf i ddim rhoi dyddiad
Annwyl Glad,

Rwyf yn ysgrifennu atat o fy ngwely ar y ward yn Southampton. Mae yma ddeg ar hugain ohonom i gyd yn gwella o anafiadau. Ond rown yn awyddus i ysgrifennu atat gan y gwn dy fod wedi poeni llawer amdanaf, mae fy mam wedi mynegi hynny i mi. Rydwyf am dy argyhoeddi fy mod yn gwella'n dda, ac nad yw'r anafiadau wedi bod yn rhy ddifrifol. Yr unig anaf parhaol, yn ôl y doctoriaid, yw y byddaf ychydig yn fyddar mewn un glust. Ni ellir gwella dim ar hynny meddant. Gwn fod nifer o berthnasau i gleifion eraill yn derbyn ymwelwyr bellach a dywedir y caf innau yr un caniatâd yn fuan. Ond er eich lles chi ac er lles Mam byddai yn well gennyf i chi beidio ystyried teithio mor bell. Ni fyddai yn llesol i neb. Mae gen i ofn fod y rhyfel hwn wedi peri i mi holi fy hunan am sawl peth a hyd yn hyn nid wyf wedi darganfod atebion i'r hunan ymholi hwn. Byddai yn well gennyf fod wedi sicrhau atebion cyn cwrdd â chi na fy nheulu. Gwn y byddwch yn deall ac yn parchu fy nymuniad. Hyn gyda chofion cynnes,

Gruff.

Gwasgodd Glad y llythyr gwerthfawr yn ei llaw nes ei fod yn belen fechan. Syllodd ar y belen honno yn ei llaw. Crynai ei bysedd a oedd wedi eu lapio am y cyfan. Hyrddiodd y belen bapur i'r gornel heibio'r dresel, gan osod ei phen ar y bwrdd caled o'i blaen. Rhoddodd ei boch i orffwys arno. Yna, cododd ar ei thraed, troi at y tegell uwchben y grât, ei osod i ferwi, estyn y tebot pridd a rhoddodd ddwy lwyaid o de du ynddo, tywalltodd ddŵr berwedig ar ei ben ac ymhen dim roedd yn sipian paned gref o de o flaen y tân a'r belen bapur yn dal i lechu yng nghysgod y dresel.

Ddoe...

Canodd y ffôn yn Nhyddyn Bach yn gynnar. Margaret atebodd.

'Gwynfor i ti, Bethan!' galwodd, ac wrth i Bethan agosáu at y ffôn, rhoes ei llaw dros y derbynnydd a sibrwd yn bendant, 'Dwed wrtho fo, mae'n rhaid i ti.'

'Gwynfor, sut wyt ti?' anwybyddodd Bethan ei mam.

'Dwi angen dy weld di, ar frys,' roedd 'na gynnwrf anarferol yn llais Gwynfor.

'Ddo i draw ar y ffordd i'r gwaith, os wyt ti eisio,' atebodd yn ansicr o dôn llais Gwynfor.

'Na, ar y traeth mewn rhyw ddeg munud?' Ar hynny dyma sŵn ci yn udo mewn poen.

'Be oedd hwnna?'

'Y blydi ci 'ma. Deg munud.'

Roedd y taerineb yn ei lais yn gwneud i Bethan deimlo'n anniddig.

'Iawn, mi wela i di yno.'

'Be sy'n bod?' holodd Margaret.

'Wn i ddim, ond mae Gwynfor eisiau 'ngweld i ar frys. Roedd o'n swnio fel petai wedi ei gynhyrfu am rywbeth.'

'Ydi o wedi clywed amdanat ti a Greta rywsut?'

'Wn i ddim sut.'

'Dwedes i wrthat ti am ddweud yn syth bin, dim oedi.'

'Iawn Mam, dwi wedi clywed y bregeth yna. Rhaid i mi fynd, cyfarfod wrth y traeth,' ac allan â hi o'r tŷ fel corwynt.

Roedd hi'n llanw a dim ond y darn caregog o'r traeth oedd i'w weld. Eisteddodd Bethan ar bentwr o gerrig a theimlai oerni'r cyfan yn treiddio drwy ei jîns. Torrai'r tonnau yn ddioglyd ar y cerrig islaw iddi ac roedd y graean yn sibrwd wrth i'r tonnau eu tynnu yn ôl tua'r dyfnder. Tawelai'r sibrwd hwnnw feddwl Bethan wrth iddi geisio siapio yr hyn roedd ganddi i'w ddweud wrth Gwynfor. Ymhen hir a hwyr clywodd sŵn traed ar y cerrig y tu ôl iddi, dwy droed drom a'r rheiny yn gyndyn o symud. Cododd Bethan ar ei thraed a throi i wynebu Gwynfor, y briw ar ei wefus yn dal yn boenus yr olwg. Roedd yn welw iawn y bore hwnnw.

'Gwynfor, mae'n ddrwg iawn gen i na wnes i ddweud wrthat ti y diwrnod o'r blaen, ond rhwng y lori yn dod i nôl y peirianna a bo chdi wedi cael crasfa gan dy dad, down i ddim yn medru dweud wrthat ti. Cachgi ydw i dwi'n gwybod, ond allwn i ddim rhoi newydd drwg arall i ti, dwi'n meddwl gormod ohonot ti i wneud hynny.'

Llifai geiriau Bethan fel dŵr o ffynnon heb iddi roi cyfle i Gwynfor ddweud gair.

'Ond rown i'n meddwl bo titha hefyd yn gweld nad oedd petha yn gweithio'n iawn, rydan ni ein dau mor wahanol mewn gymaint o ffyrdd, a dwi ddim isio i ti mwy na finna gael ein dal mewn perthynas sydd ddim yn ein bodloni ni. Dwi ddim yn siŵr sut wyt ti wedi clywed am Greta a finna... ond doedd o ddim yn fwriadol... y peth diwetha faswn i am wneud ydi dy frifo di yn gwbl fwriadol, ond 'dan ni wedi darganfod ein bod ni mewn cariad.'

'Mae 'Nhad wedi lladd ei hun,' torrodd Gwynfor ar ei thraws.

Torrodd ton fwy na'r cyffredin, ei sŵn yn fyddarol, a griddfanodd y cerrig wrth iddynt gael eu sugno i'r dyfnder.

'Mae 'Nhad wedi lladd ei hun,' ailadroddodd Gwynfor y frawddeg yn fecanyddol bron. 'Des o hyd iddo yn y sied bella bore 'ma, wedi crogi'i hun.'

Camodd Bethan tuag at Gwynfor, ei thraed yn ansicr ar gerrig y traeth, roedd ar fin ei gofleidio.

'Paid, gwell gen i fyw heb goflaid llawn piti.'

'Gwynfor, nid dyna ydi o, dwi'n meddwl y byd ohonot ti.'

'Cymaint nes bod ti'n taflu dy hun i freichia Greta?'

'Nid dyna dwi'n sôn amdano.'

'Dwyt ti ddim wedi sôn am ddim byd arall, hyd yn hyn.'

'Eisio cydymdeimlo ydw i, eisio cynnig...'

'Bethan rho'r gora i falu cachu, plis,' cododd garreg oddi ar y traeth a'i bodio'n ffyrnig. 'Rown i eisiau dy weld di, rown i eisiau dweud 'mod i wedi gorfod tynnu corff 'Nhad i lawr oddi ar un o drawstia'r siedia acw, y bwriad oedd trio gwneud ryw sens o be sy wedi digwydd. A be dwi'n gael ydi blydi crap am sut ti wedi troi'n lesbian a syrthio mewn cariad efo Greta a sut ti wedi methu dweud wrtha i. Y gobaith oedd y basa gen i rywbeth i ddal gafael ynddo fo'r bore ma, rhyw fymryn bach o ola, achos mae'r hwch wedi mynd drwy'r siop yn Glan Ffrwd ac mae 'Nhad wedi dewis llwybr y cachgi a gwneud amdano'i hun, sy'n gadael Mam a finna i drio rhoi trefn ar betha. Felly paid â brygowthan am gydymdeimlad a rhyw rwtsh felly. Roedd dy Anti Glad yn ddigon gwael, yn llenwi pen 'Nhad efo ryw syniadau mawr a wedyn 'i adael o heb ddim byd. Dwyt ti ddim mymryn gwell. Felly diolch am ddim blydi byd.' Hyrddiodd y garreg oedd yn ei law heibio Bethan i ganol y tonnau cyn troi ar ei sawdl a chilio i gyfeiriad y llwybr.

'Gwynfor, plis?' erfyniodd Bethan, ei llais prin yn cystadlu yn erbyn sŵn y tonnau.

Atebodd mo Gwynfor hi, cydiodd mewn carreg arall a'i hyrddio at arwydd oedd wrth fynedfa'r traeth nes bod y metel yn dynwared ryw daran bell. Gadawyd Bethan ar ganol y traeth heb ddim ond sŵn y tonnau ac atsain sŵn traed yn cerdded yn drwm drwy'r cerrig. Trodd i edrych ar y môr o'i blaen. Roedd olion y garreg a daflodd Gwynfor eisoes wedi diflannu a llwydni'r cymylau uwchben wedi dwyn glesni'r môr. Eisteddodd ar y pentwr cerrig unwaith eto, eu hoerni yn ias ar hyd ei chefn y tro hwn. Syllodd i ddyfnder y llwydni o'i blaen, ond ni ddaeth deigryn, dim ond cwlwm tyn yn ei hymysgaroedd a oedd bron yn boen corfforol. Arhosodd yno am amser maith yn gwylio'r tonnau'n torri'n ddigalon a gwrando ar siffrwd y cerrig wrth iddyn nhw ymdrechu i gadw eu hunain rhag difancoll y dyfnder.

Echdoe...

Gadawodd Glad y belen bapur felynaidd yn y gornel gerllaw'r dresel am wythnosau. Ni ddaeth llythyr arall. Deuai ambell hanesyn am Gruff yn gwella drwy ei fam bob hyn a hyn, ond ni ddaeth gair ganddo at Glad ei hun. Ddeufis ers derbyn y llythyr roedd Glad yn y sgubor fach yn didoli tatws fel eu bod yn barod i'w cadw at y gaeaf. Roedd arogleuon melys a chwerw rhai tatws oedd wedi pydru ychydig yn llenwi ei ffroenau. Tywyllodd y sgubor yn sydyn wrth i gysgod lenwi'r drws. Cododd Glad ei phen, ond ni allai ddirnad pwy oedd yno, y llais a'i cyflwynodd.

'Glad!' sibrydodd Gruff.

Ymataliodd Glad rhag neidio ar ei thraed a'i gofleidio, achos fe welai y belen felen wrth y dresel o hyd.

'Wel wel, dyma ddyn dieithr. Pryd ddoist ti adra?'

'Rŵan. Ti ydi'r *first port of call*.'

'Rydw i'n freintiedig felly. Wyt ti'n well?'

'Fel y gweli di fi. Mymryn yn fyddar yn y glust dde, ond heblaw am hynny dwi fel y boi.'

Cododd Glad o ganol ei thatws a chamu at y drws, heb eto lwyddo i weld wyneb Gruff.

'Falch bo chdi'n fyw ac yn iach.'

'A finna!'

Chwarddodd y ddau.

'Am faint wyt ti'n ôl?' holodd Glad

'Dwi ddim yn mynd yn ôl, y gwendid ar y clyw yn fy ngwneud yn *not fit for the forces*. Ofn na faswn i'n gwrando arnyn nhw, beryg.'

'Roedd hynny yn broblem cyn i ti gael dy anafu!'

Chwarddodd yn ddau eto.

'Bydd rhaid i mi ffarmio rŵan, a chael ambell joban arall i ennill fy nghrystyn. Ffansi help i ddidoli tatws?' meddai gan bwyntio at y sachau oedd wedi amgylchynu Glad. Eisteddodd y ddau ar stôl bob un yn cael trefn ar y tatw at y gaeaf gan drafod pyramidiau'r Aifft, bwyd y fyddin a thaith mewn llong ysbyty drwy'r Med.

'Be oeddet ti eisio'i ddeud yn y llythyr wnest ti anfon?' mentrodd Glad agor y belen o bapur melynaidd oedd wrth y dresel.

'Dyna pam rown i eisio dod yma gynta peth bore 'ma.' Llyncodd Glad ei phoer a thynnodd Gruff ei law dros ei dalcen. 'Wedi'r profiada yn El Alamein... dwi ddim yn meddwl y bydda i byth 'run fath eto.'

'Wel na fyddi siŵr, wedi dy anafu ac wedi colli rhywfaint o dy...'

'Nage, nid hynny dwi'n feddwl. Gwranda, ga i ddweud wrthat ti be ddigwyddodd... Dwi ddim eisio dweud hyn wrth neb arall, dwi ddim eisio 'i ddweud o wrtha i fy hun, ond bydd rhaid i ti gael gwybod. Fedra i ddim peidio dweud wrthat ti.'

'Ti'n siŵr?'

'Nac ydw, ond... p'run bynnag, roeddan ni yn mynd i mewn i'r frwydr, tancia bach oedd gynnon ni o gymharu efo rhai yr Almaen. Dyma'r tanio yn dechrau, sŵn byddarol ym mhob man. Llwytho'r siels i wn y tanc oedd 'y ngwaith i tra bod y taniwr yn nelu, saethu yna saethu eto. Beth bynnag, cafodd ein tanc ni ei daro, fe dorrodd y trac, felly roeddan ni'n methu symud. Dyma'r capten yn dweud wrthon ni am ddianc o'r tanc, achos ein bod ni'n debygol o gael ein saethu yr eildro, gan ein bod ni'n methu symud, ac roedd gynnon ni lwyth o ffrwydron. Ond "Na" medda fi wrtho fo, "mae gynnon ni lwyth o siels, gadwch i ni saethu rheini gynta, gwneud ein gwaith, stopio'r Germans." Mi gytunodd, a fuon ni wrthi am ryw ddeg munud, siel ar ôl siel ar ôl siel a chyda bob un, rown i'n gorfoleddu wrth daro tanc Almaenig ac yn ymhyfrydu fod 'na un Almaenwr neu ddau yn llai i ymladd. Rown i'n mynnu fod bob siel yn cael ei thanio er ein bod ni'n gweld y tancia Almeinig yn 'nelu tuag aton ni, rown i am ddial ar y gelyn ar ran 'yn ffrindia o'n i wedi'u colli yn ystod yr wythnosa cynt, rown i'n casáu'r Almaenwyr efo cas perffaith a rown i'n mynd i gael y llaw ucha. Beth bynnag fe saethwyd pob siel, a gadael ein hôl ar y gelyn, ac roedd na frys i adael y tanc. "We are sitting ducks here!" meddai'r capten, "bail out all of you, quickly." Rown i ar y ffordd allan ar 'i ôl o pan gawson ni'n taro eto. Mi ges i 'nhaflu allan o'r tanc ond mi oedd y capten a'r dreifar allan yn barod. Ond doedd gan Paul, y taniwr, ddim siawns, mi gafodd ei ladd yn y fan a'r lle… a fi laddodd o… fi oedd wedi mynnu aros i danio pob siel.'

'Fedri di ddim beio dy hun, rhyfel oedd o.'

'Paid Glad, plis. Gad i mi ddweud yr hanes. Be dwi'n drio ddweud ydi, 'mod i wedi gweld rhywbeth ynof fi fy hun yn y tanc yna, rhywbeth nad ydw i'n ei chael hi'n hawdd byw efo fo. Rown i eisio dial, costied a gostio, roedd 'na rywbeth yn 'y ngyrru i na fedrwn i ei reoli o. Roedd llwytho pob siel a chlywed honno'n tanio yn rhoi gymaint o foddhad i mi. Rown i am weld eu tancia nhw'n cael *direct hit*, rown i eisio eu gweld nhw yn cael eu chwythu i ebargofiant. Mae 'na ryw gythral yno i sy'n amhosib ei reoli, un oedd yn mynnu dial. A bydd rhaid i mi ddygymod efo hynny… ond mae 'na ganlyniada… a dyna lle rwyt ti…'

'Mi wna i unrhyw beth i helpu, Gruff, ti'n gwybod hynny, beth bynnag ddigwyddodd yn y tanc 'na dwi'n adnabod y Gruff annwyl, clên a charedig. Efo'n gilydd fe gawn ni'r llaw ucha ar beth bynnag ddigwyddodd.'

'Fedra i ddim ei gweld hi fel yna, sori Glad. Dwi ddim isio i neb arall orfod delio efo'r hyn dwi 'di weld ynof fi fy hun, fedra i ddim trystio fy hun i beidio adweithio fel yna eto.'

'Ond roedd hi'n rhyfel a thitha wedi colli ffrindia.'

'Fi oedd o Glad, nid y rhyfel, fi. Dwi wedi bod yn meddwl am y peth am wythnosa, yn gorwedd yn 'y ngwely yn trio dirnad sut i ddelio efo'r peth, a dwi wedi penderfynu, ac mae'n ddrwg gen i Glad, ond dwi wedi penderfynu y bydd rhaid i mi fyw ar 'y mhen 'yn hun. Fedra i ddim meddwl gweld rhywun yn dod i fyw efo be ydw i wedi 'i weld ynof fi fy hun.'

'Dod i ddeall ein gilydd fasa fo, bod yn gefn i'n gilydd.'

'Basa Paul yn fyw heddiw oni bai amdana i. Dwi ddim am ddifetha bywyd neb arall, Glad, yn enwedig y bobl dwi'n eu caru, fel ti.'

'Ond fydd peidio byw efo ti'n difetha 'mywyd i beth bynnag.'

'Na fydd, fe ddaw rhywun arall... sori Glad.'

'Ti'n chwalu breuddwyd rhywun, ein plant ni oedd i etifeddu Tyddyn Bach. Ti'n difetha 'mywyd i.'

'Nac ydw, fe ddaw rhywun arall... sori Glad.'

Roedd aroglau'r tatws pydredig yn codi cyfog ar Glad erbyn hyn. Cododd a chychwyn am y drws. Trodd a gweld llygaid llaith Gruff.

'Cofia fi at dy fam, Gruff,' a brathodd ei gwefus uchaf i atal ei theimladau rhag tywallt o'i chrombil.

Heddiw...

Roedd Greta a Bethan wedi prynu tŷ yn Lionel Road yn Nhreganna ers ychydig flynyddoedd. 'Tŷ teras, tair ystafell wely angen ei adnewyddu' oedd yr hysbyseb. Ond wedi peth crafu pen sylweddolodd y ddwy mai arwynebol iawn oedd y gwaith adnewyddu. Gweithio i elusen digartrefedd roedd Bethan erbyn hynny a Greta newydd ddechrau swydd fel cynllunydd graffeg. Penderfynodd y ddwy y byddai ffenestri newydd, cegin newydd a chôt o baent yn troi'r tŷ yn Lionel Road yn 'dŷ teras sylweddol mewn cyflwr da'. Doedd yr un o'r ddwy wedi cymryd unrhyw ddiddordeb mewn gwaith adnewyddu cynt ond doedd hynny ddim yn mynd i'w rhwystro.

Cafwyd cwmni arbenigol i osod ffenestri, ond yna treuliodd y ddwy rai misoedd yn gweithio'n ddygn ar y tŷ. Cafwyd peiriant hynod o anhylaw a thrwm i sandio'r lloriau. Wrth drin y peiriant hwnnw, câi Bethan ei hatgoffa o'i mam yn dal cyrn yr arad agor rhychau yn Nhyddyn Bach ers talwm. Roedd y llwch yn codi'n gymylau, ond roedd y chwerthin yn heintus hefyd. Rhyfeddod arall i Bethan oedd gweld bod artist fel Greta mor flêr wrth beintio. Byddai'n colli paent ym mhob man.

'Dwyt ti ddim wedi gweld gweithdy artistiaid mawr y byd sy'n baent i gyd, mae'n amlwg,' mynnodd Greta wrth iddyn nhw beintio stafell wely yng nghefn y tŷ. 'Paent hyd y lloriau, hyd y nenfwd a thros bopeth yn ogystal â'r ganfas ei hun. Hwda dyma ti fymryn drostat ti hefyd,' a dyma roi fflic bach sydyn i'r brwsh nes bod paent melyn yn un strimyn o ymyl clust dde Bethan i lawr at ei phen glin. Edrychodd Bethan ar y paent, edrychodd ar Greta.

'Fe ddylwn i wneud yr un peth yn ôl i ti, ond byddai hynny yn dechrau ffeit baent.'

'Ond fel heddychwraig o argyhoeddiad dwyt ti ddim yn credu fod hynny yn syniad adeiladol o gwbl. Petaet ti'n fflicio paent ata i, byddwn inna yn talu'r pwyth yn ôl fel hyn,' a dyma fflic arall o baent melyn yn hedfan i gyfeiriad Bethan, 'a byddai hynny yn gwaethygu'r sefyllfa yn fwy byth.'

'Ond, ar ben hynny, byddai coblyn o lanast i'w glirio ar y diwedd.'

'Dyna'r pris am wrthdaro, gwell glynu at heddychiaeth a throi y foch arall.'

'Mae gen i baent ar y ddwy foch yn barod, diolch.'

'Oes 'na? Wnes i ddim sylwi, cofia. Ond mae dwy foch arall yn lân o hyd!'

A dyna pryd y dechreuodd y ffeit baent yn y stafell wely yn y cefn. Roedd paent melyn a gwyn yn hedfan i bob cyfeiriad yn y stafell wag a'r tŷ cyfan yn byrlymu o chwerthin. Yn anorfod daeth y cyfan i ben efo'r ddwy yn y bath gyda'i gilydd yn diolch bod dŵr yn golchi'r cyfan. Trannoeth, wedi dychwelyd i'r stafell, fe benderfynodd Greta fod y patrymau o felyn a gwyn a orchuddiai bob man yn hynod ddeniadol, ac felly trodd y ffeit baent yn waith celf yn y stafell gefn.

Roedd gosod cegin yn gofyn am ychydig mwy o amynedd a dyfalbarhad, rhinweddau a etifeddodd Bethan gan ei mam. Felly, fe dreuliodd ddeuddydd ar ei gliniau efo cannoedd o ddarnau o gegin *flatpack*, arogleuon MDF a glud yn ogystal â sŵn sgriwdreifer trydan yn mwmial dros y tŷ. Byddai Greta yn cadw draw, ar ôl ymdrech aflwyddiannus i gynnig help unwaith.

'Greta?' meddai a gwên lond ei llais, 'te cry efo chydig o laeth i mi, del. Fi 'di'r ffiter, a chdi 'di'r labrwr,' a gosododd glamp o gusan ar ei gwefusau.

Gwenodd Greta, taflu ei gwallt hir oren llachar dros ei hysgwydd, 'Os nad ydi 'ngwaith i'n ddigon da,' meddai mewn llais hynod ffurfiol, 'bydd rhaid i chi gael labrwr arall felly.'

'Fasa ffiter arall yn well!'

Roedd Greta ar ei thraed bellach ac yn sefyll tu ôl i Bethan. Cydiodd yng ngwddf 'i chariad yn chwareus gan gymryd arni ei chrogi, yna trodd y cyfan yn goflaid gynnes. Gwasgodd Bethan ei llaw.

'Ond mi fasa paned yn dda.'

'Dod rŵan, del!'

Trannoeth roedd y labrwr wedi cael tasg o ddal cypyrddau yn eu lle wrth i'r ffiter eu sgriwio yn sownd i'r wal. Roedd hi hefyd wedi cael dyrchafiad i fod yn ymgynghorydd ar wastadrwydd drysau a droriau. Dewiswyd wyneb gwaith tywyll oedd yn dynwared marmor a bu'r labrwr yn eistedd ar hwnnw am beth amser.

Yn ôl Bethan, 'Mae angen tin mawr labrwr i'w gadw fo'n llonydd, tra bydda i'n ei roi'n sownd!'

Teimlai Bethan beth balchder wrth edrych ar ei chegin orffenedig. Safodd yng nghanol y llawr a phaned de yn ei llaw a gwên fodlon iawn ar ei hwyneb. Roedd Greta'n pwyso ar ffrâm y drws yn syllu arni wedi rhyfeddu at ei champ.

* * *

Mud fu Iorwerth ar hyd y ffordd i Gaerdydd. Doedd Greta hyd yn oed ddim wedi cael unrhyw ymateb. Ond roedd y ddwy wedi dysgu bod yn rhaid gadael llonydd iddo weithiau. Felly, Radio Cymru oedd yr unig sŵn yn y car am y rhan fwyaf o'r daith.

"Dan ni bron iawn wedi cyrraedd rŵan, 'Nhad,' torrodd Bethan ar y tawelwch.

'Rwy'n mynd i wlad y Saeson, a'm calon fel y plwm, i ddawnsio o flaen y delyn ac i chwarae o flaen y drwm.'

'Dydi Lionel Road ddim cyn waethed â hynny, Iorwerth.'

Chwarddodd Iorwerth.

'Wyt ti'n meddwl bod o'n deall?' holodd Bethan yn dawel.

'Go brin,' atebodd Greta, 'ti'n gwybod sut mae'r penillion 'na'n troi yn 'i feddwl o,' cododd ei llais, 'Mi fyddwch wrth eich bodd Iorwerth, mi fydd fel bod ar wylia i chi. 'Dach chi ddim wedi bod ar wylia ers blynyddoedd, yn naddo?'

Echdoe...

Gwasgodd Iorwerth allweddi'r fflat yn ei law fain esgyrnog, ac wrth gamu allan o'r swyddfa dwristiaid, cafodd ei demtio i sibrwd *'Yes*!' yn orfoleddus, yn union fel y gwelsai hogia bach tair ar ddeg oed yn gwneud mor aml yn yr ysgol. Roedden nhw wedi cyrraedd. Sobrodd beth wrth weld yr wg ar wyneb Margaret. Eisteddai hi ar y fainc bren yng nghanol y pentref a'r paciau yn domen o'i chwmpas. Dim ond pythefnos oedd ganddyn nhw yno, ond roedd hi'n bythefnos i chwalu pob cwmwl du yn yfflon. Ceisiodd guddio'r boddhad ar ei wyneb bychan, wrth nesu at y fainc.

'Wel? Pa dwll wyt ti wedi'i gael i ni?'

'Fflat digon mawr i chwech, golygfa o'r mynyddoedd, dwy ystafell wely, ystafell eistedd a chegin yn cynnwys popty a pheiriant golchi llestri,' adroddodd yntau fel taflen hysbysebu.

'Lle goblyn aeth yr hogan 'na?' oedd unig ymateb Margaret.

Cododd ei ysgwyddau.

'Ydi'r lle 'ma'n bell?'

'Hanner can llath at y drws ffrynt.' Doedd Iorwerth ddim yn gwarafun i Margaret fod yn flin, wedi'r cyfan ei syniad o oedd teithio bron i fil o filltiroedd er mwyn treulio eu gwyliau yn yr Alpau. Doedd croesawu newid ddim wedi bod yn rhinwedd ynddi hi erioed. Cofiodd ei nerfusrwydd wrth iddo fentro gofyn iddi ei briodi, a'r oedi hir cyn iddyn nhw hyd yn oed feddwl dechrau teulu. Byddai Margaret yn pwyso a mesur yn ofalus cyn newid, ac roedd hynny yn rhan o'r cariad rhyngddyn nhw. Roedd Iorwerth angen y sefydlogrwydd solet roedd Margaret yn ei gynrychioli hefyd. Ond weithiau, hiraethai Iorwerth am frwdfrydedd ac asbri rhywun oedd yn mwynhau pethau newydd.

'Lle buost ti?' holodd Margaret wrth i Bethan gyrraedd yn ôl at y fainc lle'r eisteddai ei mam.

'Lawr wrth y ffynnon acw.'

'Wnest ti ddim yfed y dŵr?'

'Naddo Mam. Peidiwch â phoeni, da chi.'

Anwesodd dalcen ei mam efo'i geiriau, fel un wedi hen arfer.

'Wel, ydi'r antur fawr yn parhau, Mr. Iorwerth Jones?' Trodd at ei thad a'i llygaid yn pefrio.

'Ydi, Miss Bethan Jones, oherwydd yn fy llaw ddehau, wele allwedd.'

'Wel, wel, Mr. Jones, allwedd. Ai allwedd i'r castell hud?'

'I'r castell hud fan draw.'

'Byddwch ddistaw eich dau wir, a chydiwch yn y bagia 'ma. Rŵan, pa ffordd mae'r fflatia 'ma?' Ceisiodd Margaret lusgo'r ddau yn ôl i'r byd go iawn unwaith eto.

'Ag un llam neidiodd y ferch bengoch ar gefn ei march gwyn, taflodd ei holl eiddo yn sypyn llipa dros ei glin, gweryrodd yr anifail dani, wrth godi ar ei ddwy goes ôl, cyn i'r ferch droi ei ffrwyn a'i yrru ar hyd y llwybr serth i'r...'

'Bethan, paid â bod mor hurt wir, a gwna ryw siâp o betha.'

Ar hynny dyma un o'r carafanau odia i gerdded strydoedd Chamonix yn llwybreiddio'i ffordd yn araf a phwyllog tua fflatiau Mont Blanc. Ar y blaen yn llwythog dan ddau hen gês lledr na welsai olau dydd ers 1959, roedd Mr. Iorwerth Jones, 37 Ffordd y Bryn, Llainhelyg. Roedd ei ysgwyddau yn crymu dan y baich, ac felly roedd arwyddion moelni yn amlycach nag arfer, ei sbectol fach gron yn hongian yn llipa ar ei glustiau, a'i drwyn yn rhy serth i'w chadw yn ei lle. Roedd o wedi gobeithio erioed mai ei olwg oedd yn gyfrifol am y ffugenw 'Llgodan' a gawsai yn yr ysgol, ac yn sicr dyna'r gwir ar y pnawn braf hwnnw yn Chamonix. Y tu ôl iddo roedd Margaret. Doedd hithau chwaith ddim yn waglaw, ond doedd dau gês a bag plastig o Kwiks yn llawn geriach a'i bag llaw ddim yn peri trafferth i ddwy law helaeth Margaret. Yna'n llusgo ei thraed yn araf, ond ei llygaid yn dawnsio roedd Bethan, cap am ei phen, ac ar ei chefn y bag tebycaf i fag ysgol a welsoch chi erioed. Roedd y tri fel un yn llusgo'u ffordd yn yr haul tanbaid ar hyd y pwt o stryd oedd yn eu harwain at dŷ fflatiau Mont Blanc.

Roedd y daith hon wedi ei threfnu'n ofalus. Ganwyd y syniad ym mhen Iorwerth ar y trydydd o Fawrth. Roedd hwnnw yn digwydd bod yn ddydd Mawrth, ac roedd hi'n hanner awr wedi dau, felly yn ôl yr amserlen oedd ganddo ar gerdyn post, roedd hi'n wers rydd ar Llgodan. Doedd gwers gynta'r pnawn ddim wedi mynd yn dda, yr unig ansoddair addas y gallai Llgodan feddwl amdano i ddisgrifio'r tri chwarter awr oedd 'uffernol'. Doedd blwyddyn un ar ddeg ddim yn griw hawdd eu trin ar y gora, a doedd Llgodan erioed wedi medru rhoi Jason Phillips na Darren Morgan yn eu lle. Wedi gwers 'uffernol' felly, roedd Llgodan yn fwy na pharod am ei baned fach o goffi, coffi drwy lefrith fyddai ei ddewis cyntaf, ond doedd dim modd paratoi peth felly yng nghongl stafell yr athrawon. Cododd Llgodan gylchgrawn oddi ar y bwrdd mawr oedd yng nghanol stafell y staff, ac o syllu arno, sylweddolodd mai llyfryn llawn manylion am fflatiau a thai gwyliau mewn mannau pellennig yn Ne Ffrainc ac yn yr Alpau oedd ganddo yn ei law. Ac yno am bum munud ar hugain i dri, ar brynhawn dydd Mawrth, Mawrth y trydydd, y penderfynodd Mr. Iorwerth Jones, ei fod ef, Llgodan, am drefnu gwyliau.

Roedd anawsterau i'w goresgyn, wrth gwrs.

'Dydw i ddim yn fflio i unlle?'

'Fydd dim angen i ti, Margaret fach.'

'Paid â 'ngalw i'n fach, dwi wedi dweud wrthat ti o'r blaen.'

'Fferi.'

'Y feri peth.'

Bethan ddaeth i'r adwy, roedd ganddi ddawn ryfeddol i dawelu ofnau ei mam.

Anfoddog oedd Margaret. Ofni hedfan, ofni hwylio, ofni'r twnnel, ond drwy ddyfalbarhad Bethan, fe benderfynwyd mai fferi o Dover i Calais fyddai'n ateb y gofyn orau. Ond gan nad oedd Llgodan yn berchen na char na thrwydded yrru, byddai'n rhaid teithio ar drên oddi yno. Nid fod Margaret wedi ildio'n rhwydd, roedd 'na gwestiynau meithion ynghylch y daith drên i Dover ac o Calais i Chamonix, a bu trafod mawr wrth chwilio am gaer addas i'r marchog a'i dylwyth, a mesur rhinweddau a diffygion polisïau yswiriant, a manteision cysgu ar gwch neu ar drên neu mewn gwesty, ond o'r diwedd fe wireddwyd y cyfan ac roedd y tri'n cerdded yn bwyllog i apartment 209, Tŷ Mont Blanc, Chamonix, i gychwyn ar eu pythefnos fawr.

Doedd Margaret ddim wedi medru deall yr ysfa wirion yma yn ei gŵr i deithio i ryw wledydd tramor. Roedd yr holl syniad wedi chwyrlïo trwy'r tŷ fel corwynt ddechrau Mawrth, pan oedd hi ar ei phrysura yn yr ardd. Roedd hi'n adeg palu a pharatoi ar gyfer plannu. Gwyddai Iorwerth hynny yn iawn. Byddai hi'n gwylio arwyddion y tywydd bob dydd, ac yn cadw golwg ar dywydd y ffermwyr amser cinio dydd Sul. Peth cwbl fwriadol oedd taflu'r syniad i ganol ei phrysurdeb hi. Felly cytuno er mwyn cael heddwch wnaeth hi, gan feddwl na fyddai dim oll yn dod o'r syniad. Doedd hi ddim wedi ysgrifennu at Mrs. Williams yn Aberystwyth i ddweud na fydden nhw'n ymweld â hi eleni hyd yn oed. Ond, roedd rhyw chwiw ryfedd wedi gafael yn Iorwerth, nid un o'r hen benodau duon 'na gafwyd ryw ddwy flynedd yn ôl, roedd yn dda am hynny, ond chwiw ryfedd yr un fath. Roedd Margaret wedi penderfynu erbyn canol Mehefin mai ei oed o oedd yn gyfrifol, gan fod oed yn taro dynion yn od, yn ôl Mrs. Jones London Villa. Mi gododd Wilias y Banc ei bac a mynd i fyw efo rhyw hoedan benfelen yng Nghaernarfon, meddai London Villa. Felly, pris bach oedd cytuno i'r daith hurt i Chamonix, ac roedd Bethan yn hynod frwdfrydig hefyd.

Ni fyddai Margaret yn cyfaddef hynny, ond yr eiliad honno, gwelai rywbeth reit ddeniadol yn Chamonix. Roedd hi wedi disgwyl i'r mynyddoedd fod 'run fath â'r Wyddfa o Lanberis, ond nid felly roedd hi. Roedd 'na ryw fawredd yn perthyn i'r creigiau llwydion, ac roedd Mont Blanc yn ddigon o ryfeddod. Ond doedd hi ddim am gydnabod gormod rŵan, doedd fiw iddi, a ph'run bynnag, doedd hi ddim wedi gweld y fflat eto.

Taflodd Llgodan gip bryderus dros ei ysgwydd wrth nesu at ddrws pren tywyll a 209 mewn rhifau pres arno fo. Gosododd y ddau gês lledr i lawr yn seremonïol bron. Estynnodd i'w boced dde am yr allwedd.

'Dy dydy dy dy...' trwmpedodd y ferch bengoch.

'Bydd ddistaw, Bethan.'

Gwyddai Iorwerth nad oedd Margaret yn mynd i gael ei phlesio yn syth, fyddai ei balchder ddim yn caniatáu hynny. Ond rŵan, wrth agor y drws byddai llwyddiant neu fethiant y pythefnos nesa yn cael ei ddatgelu.

'Agor y drws 'na neno'r tad, mae hi fel bol buwch yn y coridor 'ma.'

Yr eiliad honno roedd Margaret a Bethan wedi diflannu i dywyllwch dudew.

'Gola yn diffodd ei hun ydi o, Mam,' meddai Bethan gan daro botwm wrth ochr y drws. 'Dach chi'n taro hwn ac mae'r gola yn para am ryw funud go dda cyn diffodd. Dowch Dad, *Open Sesame*, gollyngwch y bont, codwch y portcwlis. Dowch i ni gael sbec.'

Caeodd Llgodan ei lygaid ac agor y drws.

'Wa-wi! Rydach chi wedi sgorio fan hyn,' meddai Bethan gan gamu dros y bagiau i mewn i stafell eistedd helaeth. Roedd y wal gyferbyn yn un ffenestr fawr yn ddigon llydan i ddal holl ogoniant Mont Blanc.

'Fawr o gegin,' ochneidiodd Margaret.

'Pwy sydd isio cegin pan fedrwch chi sbio ar Mont Blanc, Mam?'

'Pawb isio byta.'

'Mae'r stafelloedd gwely fan hyn,' mentrodd Iorwerth.

'Mae 'na falconi hefyd Mam, digon mawr i roi cadair neu ddwy yma i chi gael ista allan.'

'Does 'na ddim lle i ddryw bach yn y popty.'

'Fyddwn ni ddim yn byta dryw... be ydi lluosog dryw Dad?'

'Dryw.'

'O!'

'Mae 'na fath a chawod,' cynigiodd Iorwerth yn dawel.

'Oes 'na siawns am banad?' holodd Bethan yn gymodlon.

'O'n i'n meddwl nad oeddat ti ddim isio byta.'

'Mond panad.'

'Ôl reit 'ta. Café, café au lait, une tasse de thé?' Syfrdanwyd Bethan hyd yn oed gan ateb ei mam.

'Café s'il vous plaît, Mama.'

Ac yng nghyffiniau drws y tŷ bach clywyd ochenaid, ochenaid fach debyca glywsoch chi erioed i anadl olaf llygoden.

* * *

Roedd y pythefnos yna yn yr Alpau yn agoriad llygaid i Iorwerth os nad i Margaret hefyd yn rhyfedd iawn. Darganfu'r ddau blygiadau yn eu cymeriad na ddaeth i'r golwg ers blynyddoedd. Yn hytrach na derbyn trefn y dydd a osodid gan berson neu bersonau eraill, darganfu Iorwerth y pleser o dreulio ychydig funudau cyntaf y dydd yn cynllunio ei ddiwrnod. Doedd o'n ddim amgenach nag amseru mynd i'r becws ben bore i chwilio am dorth yn y ddeuddydd neu dri cyntaf, cyn anturio i dir y croissant yn ogystal â'r dorth hir cyn diwedd yr wythnos. Ond yn fuan iawn roedd yn cynnig pa dripiau y gellid eu dilyn hyd yn oed. A daeth Margaret i wenu llawer iawn mwy a'i llygaid wedi dangos arwyddion bach o'r pefrio tawel a fu ynddyn nhw yn ystod blynyddoedd plentyndod Bethan. Roedd y ddeubeth cymharol fychan hyn yn ymylu ar fod yn wyrth ym mywydau Iorwerth a Margaret Jones.

Roedd hi'n ddydd Mawrth yn ystod ail wythnos y pythefnos yn yr Alpau. Roedd Iorwerth wedi cyrraedd yn ôl o'r becws gyda thorth fain, chwe croissant a thair teisen ac fe'i croesawyd yn ôl fel brenin.

'Coffi, Iorwerth?'

'Byddai coffi yn flasus dros ben, Margaret.'

'Eisteddwch.'

'Os oes heddwch...' ychwanegodd Bethan.

'Be wyt ti'n feddwl heddwch?' holodd ei mam.

'Gwaedd uwch adwaedd, a oes heddwch?' cyhoeddodd y ferch bengoch gan ddal y dorth fain uwch ben ei thad wrth iddo fygwth eistedd.

'Heddwch!' gwaeddodd ei mam.

'Gwaedd uwch adwaedd, a oes heddwch?' meddai drachefn.

'Heddwch!'

'Chwant uwch newyn a syched, a oes croissant?'

'Croissant!'

'Torred y dorth ac eistedded y cyrchydd yn hedd ei frecwast!'

Ac eisteddodd Iorwerth yn gwenu fel giât. Estynnodd Margaret ei gwpan goffi iddo,

'Atolwg bydded i ti yfed o'r coffi hwn, a bwyta o gynnyrch ein bro!'

'Ond dydi'r bardd byth yn cael yfed o'r corn hirlas,' meddai Bethan, 'twyllo maen nhw. Does 'na ddim byd yn y corn, dim diferyn.'

'Wyt ti am wneud y ddawns flodau i mi, rŵan?'

'Gei di fynd i ganu, dwi isio fy nghroissant.'

A thyrchodd y tri i gynnyrch godidog y becws a'r menyn a'r jam heb sôn am y coffi'n llifo.

Heddiw...

'Dyma ni,' cyhoeddodd Bethan wrth barcio'r car o flaen drws ffrynt eu tŷ yn Lionel Road, 'dan ni adra!'

Syllodd Iorwerth drwy ffenestr y car, ond ni ddwedodd ddim.

'Dowch, Yncl Iorwerth, i chi gael gweld eich stafell,' ychwanegodd Greta wrth lamu allan o'r car ac agor drws y cefn.

Dychrynwyd Iorwerth gan y symudiad sydyn, crychodd ei dalcen a symud fymryn yn ôl yn ei sedd.

'Pa ddiwrnod ydi hi?' gofynnodd yn reddfol.

'Diwrnod mudo, Yncl Iorwerth, 'dan ni wedi cyrraedd Caerdydd, dowch i weld y tŷ. Mae o'n werth ei weld. 'Dach chi'n cofio fi'n dweud wrthoch chi fisoedd yn ôl fod Bethan wedi adeiladu cegin i ni, dowch, gawn ni baned bach.'

Doedd Bethan ddim wedi symud o sêt y gyrrwr, ond rhyfeddai at amynedd a brwdfrydedd Greta efo'i thad.

'Faint o'r gloch ydi hi?'

'Mae hi'n gloch...' dechreuodd Greta.

'I gyd ond ei thafod,' gwenodd Iorwerth gan afael yn ei llaw a stryffaglio o gefn y car.

'Coesau rhy hir sy gynnoch chi, Yncl Iorwerth.'

'Fasan nhw ddim yn cyrraedd fy nhraed i fel arall,' meddai yntau yn synnu Bethan a Greta fel ei gilydd. Chwarddodd y tri.

Agorodd Greta'r drws gan wthio'r pentwr llythyrau o'r ffordd.

'Dim byd ond jync,' cyhoeddodd gan eu codi a'u cario i gyfeiriad y bin yn y gegin. Roedd ar fin gollwng y baich i geg y bin pan sylwodd ar enw Iorwerth ar un amlen.

''Dach chi wedi cael llythyr yn barod, Yncl Iorwerth.' Gollyngwyd y baich llythyrau i'r bin ond gan ddal gafael yn amlen Iorwerth, 'Ydach chi isio i mi ei agor o i chi?'

Nid atebodd Iorwerth hi. Rhwygodd Greta'r amlen wen a thynnu cerdyn 'Croeso i'ch cartref newydd' allan.

'Dyna braf, rhywun eisiau eich croesawu chi,' ychwanegodd heb unrhyw ymateb gan Iorwerth. Ond gwelwodd wrth ddarllen y cynnwys. 'Un arall, Bethan,' meddai'n dawel.

Cydiodd Bethan yn y cerdyn. *Meddwl dianc ydach chi Llgodan? Tydi Caerdydd ddim digon pell, coeliwch chi fi. Fi ydi'r gath a chi di'r Llgodan cofiwch – bastad!*

Syllodd Bethan ar Greta, 'Pwy sy'n gwneud hyn?'

'Pwy a ŵyr, rhywun oedd yn yr ysgol mae'n rhaid. Llgodan oedd ei lysenw yno.'

'Oes rhaid mynd at yr heddlu?'

'Fyddan nhw ddim isio gwybod. Does 'na ddim byd wedi digwydd, na dim bygythiad.'

Rhwygodd Bethan y cerdyn yn ddarnau mân a'i daflu'n ffyrnig i'r bin, a throdd ei sylw at wneud paned.

Roedd Iorwerth yn ei gragen erbyn hyn. Eisteddodd fel iâr yn clwydo ar un o'r stolion uchel oedd ganddyn nhw yn y gegin tra bod y tegell yn berwi.

''Dach chi'n llwglyd?' holodd Bethan.

Cododd ei ben yn syth.

'Ga i frechdan siwgwr, Anti Glad?' atebodd.

'Anti Glad, honna'n newydd,' sibrydodd Greta.

'Brechdan siwgwr?'

'Brechdan siwgwr, plis.'

'Cewch siŵr.' Trodd at Greta, 'Roedd o'n treulio bob haf yn Nhyddyn Bach efo Anti Glad'.

'Nefoedd ar y ddaear, faswn i'n tybio.'

A brechdan siwgwr a phaned o de oedd pryd cynta Iorwerth yn Lionel Road, ac fe sglaffiodd y cyfan fel hogyn bach.

'Angen gwagio'r car rŵan, Yncl Iorwerth,' awgrymodd Greta.

'Fawr o awydd,' oedd ei ateb.

'Dowch, fyddwn ni fawr o dro.'

Aeth y ddau allan gan adael Bethan yn syllu i'r gwpan oedd wedi ei lapio yn ei dwylo. Gwyddai Greta nad oedd llawer i'w gario i'r tŷ, dau gês go sylweddol yn cynnwys eiddo sylfaenol Iorwerth a rhyw ddau gês bychan iddyn nhw ill dwy. Gosodwyd un cês ymhob llaw Iorwerth.

'Dyna ni, mul bach, ffwrdd â chi,' meddai Greta.

Gwenodd Iorwerth a direidi yn byrlymu yn ei lygaid a dechreuodd ganu.

'Tasa gen i ful bach, a hwnnw'n cau mynd,

Faswn i'n ei guro fo? Na faswn ddim.

Ei roi o yn y stabal a ffid o India corn,

Y mul bach gora fu 'rioed mewn trol.'

A chychwynnodd Iorwerth gerdded ar draws y ffordd yn cario'r ddau gês. Dyma sgrech teiars a sŵn canu corn yn llenwi'r lle. Cododd croen gŵydd dros gorff Greta. Trawodd ei phen ym mŵt y car.

'Blydi hel, be 'da chi'n feddwl 'da chi'n neud?' daeth gwaedd drwy ffenestr agored y car du oedd wedi sefyll yn stond droedfedd yn unig oddi wrth Iorwerth. Roedd o'n dal i sefyll yng nghanol y ffordd yn syllu'n syn ar fathodyn Mercedes-Benz ar flaen bonet y car.

'Yncl Iorwerth!' cydiodd Greta yn ei fraich, ''Dach chi'n iawn?'

'Tasa gen i ful bach, a hwnnw'n cau mynd...' dechreuodd Iorwerth ganu eto.

'Lesbos a blydi nytar, mae petha'n gwaethygu yn y stryd 'ma!' ebychodd Steve tu ôl i lyw ei gar cyn gwibio am ben arall y stryd.

'Rhaid i'r mul bach gymryd gofal, Yncl Iorwerth, achos mae 'na fulod eraill o gwmpas.'

'Ei roi o yn y stabal, a ffid o India corn,
Y mul bach gora fu 'rioed mewn trol.'

Tywyswyd ef yn ôl i'r tŷ a'r ddau gês yn hongian wrth ei freichiau hirion.

'Mercedes-Benz du wedi ei gynhyrchu yn yr Almaen. Cwmni wedi ei sylfaenu yn 1926. Karl Benz greodd y car gyriant petrol cyntaf yn 1886, sef y Benz Patent Motorwagen,' cyhoeddodd yr athro hanes wrth gamu i mewn i'r gegin.

Syllodd Bethan yn rhyfedd arno.

'Newydd gyfarfod Steve yn ei gar,' ychwanegodd Greta, 'roedd dy dad ar ganol y stryd.'

'Ddigwyddodd dim byd?'

'Bron iawn, mi gerddodd i ganol y lôn fel roedd Steve yn pasio.'

''Nhad, rhaid i chi gymryd gofal, fe alla...'

'Ond yn 1926 y daeth cwmni Karl Benz a chwmni Gottlieb Daimler at ei gilydd a ffurfio cwmni Mercedes-Benz. Ac yn y tridegau mi ddaeth y model 770 yn boblogaidd iawn ymhlith y Natsiaid. Hwn oedd hoff gar Adolf Hitler.'

'Sydd yn esbonio pam bod Steve wedi prynu un decini!' ebychodd Greta.

'Diolch, 'Nhad. Ydach chi isio rhoi y ddau gês 'na lawr?'

'Fasa paned yn dda iawn, diolch,' ychwanegodd Iorwerth, 'cryf efo ychydig o laeth a dim siwgwr.'

'Ia, mi wn i,' ychwanegodd Bethan a deigryn yn ffurfio yn ei llygad.

'Pa ddiwrnod ydi hi?'

'Dydd Sadwrn, Yncl Iorwerth.'

'Ydach chi'n iawn 'Nhad?'

'Ydw, pam?'

'Wnaeth y car 'na eich taro chi? Ydach chi wedi brifo?'

'Doctor, doctor, pigyn yn fy ochor,

Well gen i roi pwmp o rech,

Na talu chwech i'r doctor.

Daeth y gwasanaeth iechyd i fod yn 1948 ar sail deddfwriaeth y llywodraeth Lafur a etholwyd yn 1945. Roedd eu maniffesto wedi addo gweithredu adroddiad Beveridge, a oedd wedi argymell ffurfio gwasanaeth iechyd addas. Roedd y cyfan yn rhan o ysbryd yr ail greu a dechrau o'r newydd. Dianc rhag cysgod y rhyfel.'

Anwesodd Greta gefn Bethan, 'Wedi cynhyrfu mae o wyddost ti, dim byd arall. Steve wedi codi dychryn arno fo.'

'Dwi ddim yn gwybod os medra i ddelio efo hyn i gyd Greta, mae gen ti amynedd i siarad efo fo a'i ateb o. Dwi ddim yn gwybod os medra i.'

'Medri siŵr, dy dad ydi o.'

'Ia? Dwi ddim yn siŵr. Dwi ddim yn ei adnabod o hyd yn oed.'

Syllodd y ddwy arno wedi dychwelyd i ben y stôl, ei sbectol wedi llithro i lawr ei drwyn, cudyn o'i wallt tenau yn hongian yn llipa wrth ei glust chwith, a'i ddwylo wedi eu pletio ar ei lin. Roedd ei wefusau'n symud yn gyflym wrth iddo siarad efo fo'i hun, ond ni allai 'run o'r ddwy ei glywed, heb sôn am ei ddeall. Roedd cês bob ochr i'r stôl wedi eu gollwng yn ddiseremoni. Roedd dagrau wedi llenwi llygaid Bethan a gallai deimlo ei chalon yn curo'n gyflymach ac yn gyflymach, gallai hyd yn oed flasu'r ofn fel surni chwd yng nghefn ei gwddw. Rhoes Greta ei dwy fraich amdani a'i gwasgu ati, ond wnaeth Bethan ddim ymateb, dim ond syllu ar ei thad ar y stôl â'i dwy lygad dagreuol.

'Mi fyddwn ni'n iawn Bethan, mi gei di weld. Siarad efo chi eich hun ydach chi, Yncl Iorwerth? Neb arall yn gwneud sens, ia?'

Ni chododd Iorwerth ei ben hyd yn oed dim ond syllu ar ei ddwy law wedi eu pletio.

''Dach chi'n hoffi'r tŷ newydd, Yncl Iorwerth?'

Echdoe...

Torrodd y wawr a thywynnodd haul euraidd Medi drwy'r sgeulat uwchben gwely Bethan. Neidiodd fel ewig o'i gwely, a gwisgo ar frys gwyllt. Agorodd ddrws y daflod, a syllu o ben yr ysgol ar gegin glyd Tyddyn Bach. Roedd ei mam eisoes wedi deffro mymryn o dân dan y tegell, a hwnnw'n canu'n fodlon.

'Bore da, a bore da iawn ydi hi i deulu Tyddyn Bach,' datganodd yn hyderus.

'Shysh, neno'r tad,' meddai ei mam, ' a thyrd at y bwrdd i gael brecwast.'

'Ond mae heddiw yn ddiwrnod cyntaf, Mam.'

'Diwrnod cyntaf?'

'Dydd geni cynllun cydweithredol Tyddyn Bach, chwyldro amaethyddol.'

'Paid â lolian, Bethan.'

'Dwi ddim yn lolian, dwi o ddifri.'

'Brecwast gynta, Bethan. Tyrd, mae'r uwd yn barod.'

'Uwd Anti Glad?'

'Ia siŵr, does dim modd cael dim byd arall,' meddai'n dawel. Cododd ei llais, 'Iorwerth, lle wyt ti? Tyrd, uwd yn barod a Bethan wedi codi.'

'Dod rŵan,' meddai Iorwerth o ymyl y beudy.

Eisteddodd y tri wrth y bwrdd, pawb â'i ddysglaid o uwd drwy laeth a mymryn o halen o sosban ddu Anti Glad. Roedd y munudau cynta fel sacrament, y jwg llaeth fawr yn cael ei hestyn o'r naill i'r llall, clinc tair llwy'n cyffwrdd ymyl y ddysgl, tri'n troi'r uwd mewn tawelwch.

'Bwyta fo wir, neu fydd o 'di oeri gormod. Dim byd gwaeth nag uwd yn stwmp yn y stumog.' Llais Anti Glad yn canu yn eu clustiau.

''Dan ni angen cynllun pum mlynedd,' meddai Bethan.

''Dan ni angen bwyta'r uwd,' mynnodd ei mam.

'Rwyt ti angen anghofio dy wersi hanes,' meddai Iorwerth.

'Ydach chi'n dweud wrtha fi am anghofio 'ngwersi ysgol, syr?'

'Nac ydw... ond...'

'Mae'n rhaid i ni feddwl be 'dan ni'n wneud yn Nhyddyn Bach, felly cyfarfod cyntaf cymuned gydweithredol Tyddyn Bach.'

''Dan ni'n mynd i ffarmio.'

'Ac rwyt ti am roi gorau i ddysgu.'

'Ydw.'

'Bendant?'

'Yn bendant.'

'Iorwerth, wyt ti'n siŵr? Fydd hi ddim yn hawdd, heb arian cyson yn dod i'r tŷ,' meddai Margaret yn boenus. 'Paid â 'nghamddeall i, ddim isio i ti ddifaru.'

'Wna i ddim, Margaret, wir i ti.'

'Be fyddwn ni'n ffarmio felly?' holodd Bethan.

''Run fath ag Anti Glad, am wn i.'

'Ond Iorwerth, fedrwn ni ddim.'

'Pam?'

'Doedd Glad ddim yn cynnal tri. Doedd dim angen mwy na rhoi lle i ddefaid cadw a thyfu ambell beth yn yr ardd. Fydd hynny byth yn ddigon i ni ein tri.'

'O... doeddwn i ddim wedi meddwl.'

'A dyna lle mae cynllun pum mlynedd Bethan yn bwysig.'

'Be?'

'Rhaid i ni gael cynllun i greu fferm hunangynhaliol mewn pum mlynedd.'

'Hunangynhaliol?'

'Tyfu popeth, cadw buwch neu ddwy, llond dwrn o ddefaid, hwch a moch bach, cynllun hunangynhaliol.'

'Ydi hynny'n bosib?' holodd Bethan, yn gweld rhyw elfen annisgwyl iawn yn ei mam.

'Ydi siŵr, troi un o'r caeau, tyfu tatws, moron, nionod, pys a ffa, tipyn o lysiau haf. Cadw ieir. Tyfu ffrwythau. Wedyn jamio, stiwio, storio digon i bob pryd bwyd, a gwerthu be fydd yn sbâr.'

'Tir sâl ydi o.'

'Mi fydd yn iawn – o roi tail iddo fo.'

'Bydd rhaid i mi gyflwyno fy ymddiswyddiad.'

'Iorwerth Jones, fedrwch chi ddim ein gadael ni ar ganol tymor?' meddai Bethan yn smala.

'Gallaf, Mr. Evans, does dim dewis.'

'Ond eich cyfrifoldebau, Iorwerth Jones, cyfrifoldeb i'r disgyblion, i weddill y staff, i enw da'r ysgol.'

'Ond mae gen i gyfrifoldebau eraill hefyd, Mr. Evans.'

'Rhowch y gora iddi eich dau, wir,' erfyniodd Margaret.

'Ceisio argyhoeddi eich gŵr o'i gyfrifoldebau, Mrs. Jones.'

'Ond mae gen i gyfrifoldeb amgenach i 'nheulu, i goffadwriaeth Anti Glad ac i mi fy hun, Mr. Evans.'

'Chlywais i 'rioed y fath ffwlbri, 'dach chi'n troi gwerthoedd gorau eich proffesiwn wyneb i waered.'

'Hwrê.'

'Ia, hwrê,' meddai Bethan, 'a hir oes i'r chwyldro.'

'Ond bydd rhaid troi rhywbeth arall wyneb i waered hefyd,' ychwanegodd Margaret.

'Be?' meddai'r ddau fel côr.

'Dreifio, bydd rhaid i ti ddysgu dreifio.'

'Pam fi?'

'Fedra i ddim, dwi ddim digon hen.'

'Wyt ti o ddifri yn disgwyl i mi ddechra dreifio?' meddai Margaret.

'Mi alla'r ddau ohonoch chi,' meddai'r bengoch.

'Mae hynny'n mynd i gymryd amser,' meddai Iorwerth yn dawel.

'Os na...'

'Os na be, Bethan?'

'Neu 'dan ni'n cael tractor. Mae hwnnw'n haws i'w yrru. Ges i dro ar dractor Gruff Tu Hwnt i'r Afon yn y cae gwair eleni, ac mae o'n hawdd. Tasa gynnon ni dractor, mi fydda modd cyrraedd y pentre yn llawer iawn haws.'

'Rydach chi'n athrylith, Miss Jones.'

'Ydw, mi wn i hynny, Mrs. Jones. Wedi ei etifeddu gan fy mam.'

'Wel doedd o ddim gan eich tad, yn sicr.'

'Margaret, dwi wedi fy siomi, a ninnau mewn cymuned gydweithredol hefyd.'

'Tractor amdani felly,' meddai Bethan.

'Na, Ffyrgi bach amdani,' meddai Margaret, 'wnaiff dim byd y tro ond Ffyrgi bach llwyd.'

'Gwych,' meddai Bethan, ' a chan eich bod chi'n gadael yr ysgol, mi wna inna hefyd.'

'Paid â bod yn wirion, dyna ni, byrbwyll fuost ti erioed,' meddai Margaret.

'Mae isio i ti gael coleg,' ategodd ei thad.

'Na, na, 'dach chi ddim yn deall, dwi am gymryd blwyddyn off, blwyddyn gap.'

'Rhwng TGAU a lefel A.'

'Ia.'

'Ond...'

'Dim ond o gwbwl.'

Edrychodd Iorwerth ar Margaret, ac edrychodd Margaret ar Iorwerth. Gwyddai'r ddau na fyddai modd newid ei meddwl.

'Ar yr amod...'

'Dy fod ti'n mynd yn ôl ymhen blwyddyn.'

'Paned i ddathlu?' cynigiodd Bethan.

'Un gryf, diferyn o laeth a dim siwgwr plis,' atebodd Margaret.

Trodd y ddau at Iorwerth.

'Mae'r tegell yn fan acw, Iorwerth.'

Llanwyd Tyddyn Bach â sŵn chwerthin.

Echdoe...

'**A**mser gwely rŵan, Iorwerth, ffwrdd â thi i'r daflod.'

   'Oes rhaid? Dwi ddim wedi blino, wir yr!'

'Naddo mwn. Ond mae hi'n hwyr ac mae Anti Glad wedi blino.'

Ond roedd dringo'r ystol i'r daflod yn gwneud mynd i'r gwely yn Nhyddyn Bach yn sbort. Felly i fyny ag o. Ond ymhen ychydig funudau.

'Anti Glad, dwi'n methu cysgu.'

'Tria gyfri defaid.'

'Does 'na ddim defaid yma.'

'Defaid yn dy ddychymyg, yr hogyn gwirion.'

'Sut betha ydi defaid y dychymyg?'

'Petha gwyn gwlanog fatha defaid go iawn.'

'Cyfri nhw ar y cae?'

'Ia, os wyt ti isio, yn Cae Tan Beudy.'

'Anti Glad!'

'Ia.'

'Maen nhw'n aflonydd ofnadwy yn Cae Tan Beudy, fedra i ddim 'u cyfri nhw.'

'Cyfra nhw yn gadael corlan Tyddyn Mawr 'ta.'

'Yn neidio allan ar frys?'

'Ia, 'nghariad i.'

'Anti Glad...'

'Cysga!'

Heddiw...

Nid oedd trefniadau yn Lionel Road cyn hawsed ag roedd Bethan wedi ei ddychmygu. Roedd Greta'n gallu gweithio gartref ar rai dyddiau, rhyw ddeuddydd, a gallai weithio ar y Sadwrn ar rai adegau. Newidiodd Bethan ei phatrwm gwaith gan weithio tridiau yr wythnos, ond gan weithio gyda'r nos o leia ddwy noson yr wythnos. Felly trwy jyglo'n ofalus roedd modd i un ohonyn nhw fod gartref hefo Iorwerth bob amser.

Roedd Iorwerth wedi mynd yn fwy anniddig. Allai o ddim eistedd yn llonydd yn hir, byddai'n cerdded i ben pella'r gegin ac yna cerdded yn ôl at y drws ffrynt, yn ôl ac ymlaen am amser maith dan ganu.

'Tasa gen i ful bach a hwnnw'n cau mynd...'

Byddai Greta yn ymuno efo fo i ganu, a thyfai gwên fawr dros wyneb Iorwerth bryd hynny. Ceisiodd hi newid y gân er mwyn cael amrywiaeth.

'Beth am 'Dacw mam yn dŵad', Yncl Iorwerth?'

Safodd Iorwerth yn stond ar hanner cam, ysgyrnygodd gan syllu drwy ei lygaid a'r rheiny fel cyllyll arni. Oedodd yn hir, nes bod Greta'n gwingo yn ei chadair.

'Glynu at y mul bach fasa ora felly, Yncl Iorwerth.'

Ymlaciodd yn syth ac ailgychwyn ar ei daith at y drws ffrynt.

Heddiw...

Roedd hi'n haf bach Mihangel a hithau yn fore Sadwrn. Cyhoeddodd Bethan bod angen mynd i siopa.

'Does 'na 'run crystyn yn y tŷ 'ma!' cyhoeddodd, ei llais wedi ei feddalu gan y *duvet*.

'Wel, cod i fynd i siop 'ta'r diogyn,' meddai Greta o ochr arall y gwely.

'Rargian, mae 'Nhad yn byta.'

'Fel ceffyl. Ond wedyn mae o'n cerdded milltiroedd bob dydd hefyd.'

'Fo a'i ful.'

'Hwnnw sy'n bwyta fel ceffyl felly!'

Chwarddodd y ddwy a chofleidio. Oedodd Bethan am eiliad, tynnu gwallt piws Greta yn ôl, anwesu ei boch,

'Diolch i ti,' meddai.

'Paid â rwdlan, 'dan ni'n caru'n gilydd a dwi'n caru Yncl Iorwerth.'

'Ond faswn i ddim yn gallu gofalu amdano fo... waeth i ti heb â dweud y baswn i.' Rhoddodd ei bys ar wefusau Greta cyn iddi ddechrau ymateb, 'dim isio dweud mwy, jyst bo fi eisio diolch.' Cusanodd Greta'n dyner, dyner.

'Llau! Llau!' daeth llef uchel o stafell Iorwerth a chyda hynny sŵn rhywbeth yn cael ei lusgo ar draws y llawr.

Neidiodd y ddwy allan o'r gwely.

'Be sy'n bod rŵan?' ochneidiodd Bethan.

Agorodd Greta'r drws a'r cyfan a welai oedd Iorwerth yn noethlymun yn ceisio llusgo matres y gwely o'i stafell.

'Mae hon yn berwi efo llau gwely,' meddai gydag awdurdod.

Roedd Greta bellach wedi bachu côt nos binc oddi ar gefn drws ei stafell ac wedi ei lapio am ysgwyddau meinion ei thad yng nghyfraith.

'Hwdwch hon, Yncl Iorwerth, rhag i chi gael annwyd.'

'Oes 'na lau arni hi?' holodd Bethan

'Na, dim un chwannen yn agos,' meddai Greta. 'Ew! mae pinc yn eich siwtio chi hefyd.'

Oedodd Iorwerth ac edrych i lawr ar y gôt nos binc, ei llewys yn rhy fyr i'w gorff main.

'Be sy'n bod, 'Nhad?'

'Llau,' meddai, 'y gwely 'na'n berwi efo llau. Mae angen llusgo hon allan a'i llosgi hi'n ulw, rŵan hyn.' Ailgydiodd yn y dasg o lusgo'r fatres heibio'r drws.

'Gogoniant, be wnawn ni rŵan?' holodd Bethan yn ddigalon.

'Arhoswch am eiliad, Yncl Iorwerth, gadwch y fatres yn fan yna am funud. Mae gen i'r feri peth 'dan ni angen,' a diflannodd i lawr y grisiau.

'Ond does dim amser i wastraffu, mae isio hon allan...'

'Mae gan Greta gynllun 'Nhad, rhowch gyfle iddi.'

Syllodd Iorwerth ar ei ferch yn sefyll yn ei choban ar ben y grisiau. Ni wyddai beth i'w ddweud na beth i'w wneud.

'Pa ddiwrnod ydi hi?' meddai'n llywaeth.

'Dydd Sadwrn, 'Nhad!'

'A dydd Sadwrn mynd i siopa,' ychwanegodd Greta wrth drybowndian 'nôl i fyny'r grisiau gyda chwistrell yn ei llaw. 'Dyma ni Iorwerth, stwff lladd llau gwely, pob math ohonyn nhw.'

Dangosodd y chwistrell iddo'n sydyn.

'Dim ond chwythiad bach o hwn a bydd eich gwely fel nyth cath unwaith eto. Ac mae 'na ogla da arno fo hefyd.'

Roedd cyhoeddiad Greta yn boddhau y dyn gwyllt yn y gôt nos binc. Felly dyma foddi'r fatres mewn cwmwl gwyn o hylif atal chwys.

'Dim angen llosgi matresi bellach,' ychwanegodd Greta, 'mae'r stwff yma'n gwneud y cyfan.'

Gwenodd Iorwerth, ac yn araf bach trodd y wên yn chwerthin, hwnnw'n chwerthin cynnes o waelod ei fol. Cyn pen dim roedd Greta wedi ymuno yn y chwerthin, a chyn hir roedd gwg Bethan hefyd wedi ildio i'r chwerthin heintus. Tan chwerthin, dyma geisio llusgo'r fatres yn ôl i'r stafell, a rhwng y chwerthin a'r stryffaglio, dyma'r tri'n baglu dros y fatres a syrthio yn un cwlwm o goesau a breichiau i'w chanol. Gorweddodd y tri ar eu cefnau ar ganol llawr y stafell wely yn syllu ar y nenfwd.

'Mae 'na we pry cop enfawr uwchben y golau!' cyhoeddodd Bethan.

'Un dau tri, mam yn dal y pry...' atebodd Iorwerth.

'Pry wedi marw...' ychwanegodd Greta.

'Mam yn crio'n arw,' meddai'r tri fel côr adrodd. Yna, dyma chwerthin a chwerthin fel petai rhywun yn eu goglais.

'Tydi Mam ddim isio fi,' sobrodd Iorwerth y ddwy efo'i ddatganiad.

'Roedd hi'n eich caru chi, Yncl Iorwerth.'

'Na, Anti Glad, rown i'n dod atoch chi bob haf, achos bo Mam ddim isio fi.'

Cydiodd y ddwy yn Iorwerth a gwasgu eu hunain ato. Bu'r tri'n gorwedd yn un belen glos ar ganol y llawr am amser maith a bochau'r ddwy yn wlyb.

'Amser diogi drosodd,' cyhoeddodd Greta ymhen ychydig, 'mae heddiw yn ddiwrnod golchi a siopa. Pawb ar eu traed, dowch, gwaith yn galw.'

Dychwelwyd y fatres oedd yn drewi o aroglau lafant yn ôl ar y gwely. Estynnwyd dillad i'r gŵr oedd mewn côt nos binc. Yna, wedi cael cawod a gwisgo, roedd pawb wrth y bwrdd brecwast ymhen hanner awr go dda. Penderfynwyd y byddai pawb yn mynd i siopa, gweithred deuluaidd fyddai'r daith i lawr i'r Co-op ar Heol y Bont-faen. Roedd Iorwerth yn y canol yn mwmial canu am y mul bach yn cau mynd a Bethan a Greta ar bob braich iddo a hwythau yn cael eu hudo i ymuno yn y gân. Ond roedd 'na sioncrwydd yng ngham y tri wrth gerdded i lawr y stryd brysur. Dyma wau eu ffordd heibio i geir dirifedi wrth ddrws cefn y siop nwyddau Indiaidd ar waelod Lionel Road. Roedd gêm bêl-droed gynnar ar Sky yn nhafarn y Clive a llond dwrn o yfwyr selog yn sbecian yn ddioglyd ar y cynnwrf ar y sgrin. Roedd y siopau kebab a sglodion eisoes ar agor ar gyfer cinio a'r arogleuon yn llenwi ffroenau'r tri wrth iddyn nhw nesu at y goleuadau traffig. Er mai newydd gael brecwast oedden nhw dyma oedi wrth ddrws y siop sglodion. Edrychodd y ddwy ferch ar ei gilydd. Yna'n reddfol ac fel un dyma droi i mewn i'r siop a phrynu bagiad o sglodion ffres. Roedd aroglau godidog ar y cyfan. Gydag Iorwerth yn geidwad y sglodion ymlaen â'r tri gan bigo'r sglodion seimllyd rhwng bys a bawd ar y ffordd. Gwenai'r tri fel giât. Penderfynwyd bwian yn symbolaidd wrth basio'r archfarchnad fawr drws nesa i gapel y Sali Armi, ac yna ymlaen ar eu taith i gyfeiriad y Coparét.

'Be ydan ni 'i angen?' gofynnodd Bethan yn drefnus.

'Pwy a ŵyr?' oedd ateb swta Greta, 'gweld be welwn ni a beth fydd yn mynd â ffansi rhywun.'

Rhoddwyd Iorwerth yn gyfrifol am y troli, i mewn â nhw i'r siop ac roedd y gyrrwr mewn hwyliau da wrth iddyn nhw bentyrru llysiau a ffrwythau o bob math i'r fasged. Roedd yna chwerthin a thynnu coes wrth ddewis brocoli, llysieuyn nad oedd wrth ddant Iorwerth. Rhoddodd Bethan sbrigyn go sylweddol yn y troli ac Iorwerth yn ei roi yn ôl ar y silff wedi iddi droi ei chefn.

'Caws coch, Anti Glad!' cyhoeddodd dros y siop fel petai wedi darganfod trysor pan ddaeth ar draws darn helaeth o gaws coch Caerlŷr.

''Dach chi'n lecio caws coch, Yncl Iorwerth?'

Nid atebodd, dim ond syllu mewn syndod arni. Yna, aeth y siopa rhagddo a'r rhesi rhwng y silffoedd yn culhau yn sylweddol. Sylwodd Greta fod Iorwerth yn mynd yn llai wrth fynd rhwng y silffoedd, roedd ei ysgwyddau'n gostwng ac yntau'n gwargrymu fymryn. Aeth ei gerddediad yn llawer iawn llai hyderus ac arafodd y trên gryn dipyn. Ond ni feddyliodd y ddwy fawr am y peth, gan fod eu meddyliau ar y siopa.

Roedd Bethan wedi mynd i'r rhes nesaf ac wrth i Greta droi'r gongl, taflodd olwg sydyn ar Iorwerth oedd yng nghanol y rhes a gwenodd arno drwy ei llygaid.

Dyna pryd y clywodd y ddwy y waedd fwyaf truenus yn y byd – cyfuniad o gi yn udo a babi'n crio. Yna daeth sŵn tuniau a nwyddau yn cael eu sgubo oddi ar y silffoedd nes eu bod yn tasgu ar hyd llawr y siop. Rhedodd y ddwy yn ôl i gyfeiriad Iorwerth, a eisteddai'n belen fechan ar lawr yng nghanol y llanast, ei ddwylo dros ei ben a phobl y siop yn heidio ato fel gwenyn.

'Yncl Iorwerth, 'dach chi'n iawn?' holai Greta.

Ni ddaeth ateb, dim ond sbecian drwy ei ddwylo ac ofn yn llenwi ei lygaid.

'What's wrong with him?' holodd y llanc.

'Shut up, Mark and start clearing up,' atebodd y reolwraig yn siort.

'Just if he's mad, well it's not safe for him to be out is it,' a dechreuodd Mark godi'r tuniau a'r nwyddau. 'If they're bent do I put them back or do they go in the bargain corner?'

'Get on with it, Mark and shut up!' plygodd y wraig gyda Greta i geisio cysuro Iorwerth. Safai Bethan ym mhen y rhes yn edrych ar y cyfan. Gwyddai y dylai fynd at ei thad, ond allai hi ddim. Y funud honno roedd fel petai yn edrych ar ddyn dieithr ac roedd hynny yn codi ofn arni.

'He's a bit confused,' meddai Greta'n dawel fach.

'You can say that again,' ebychodd Mark wrth godi'r tuniau bîns.

Roedd y wraig yn y siop yn hynod annwyl efo Iorwerth, fel petai hynny'n digwydd bron bob dydd yno. Llwyddodd i gael Iorwerth i godi ei ben, aeth ag ef i stafell y staff i gael paned a daeth normalrwydd yn ôl i silffoedd y siop. Ond doedd yr ofn ddim wedi cilio'n llwyr o lygaid Iorwerth, roedd hwnnw yn mynnu oedi yno o hyd.

Echdoe...

Roedd blwyddyn naw wedi cael mwy na digon o'r wers hanes y diwrnod hwnnw. Penderfynodd y bechgyn ofyn cwestiynau twp.

'Plis syr, oedd Harri'r wythfed wedi ffwcio Anne Boleyn cyn...'

'Dwi ddim yn meddwl fod iaith o'r fath yn addas, Gwynfor.'

'Pa iaith, syr?'

'Yr iaith rwyt ti newydd ei defnyddio.'

'Ddylwn i ddim defnyddio geiriau fel Harri'r wythfed?'

'Rwyt ti'n gwybod yn iawn be dwi'n feddwl.'

'Na, dydw i ddim, syr, dwedwch chi wrtha i.'

'Ia syr, dwi ddim yn deall chwaith,' ymunodd Kevin yn y ffars.

'Gwynfor, dos i stafell y Prifathro, os gweli di'n dda.'

'Ond syr, dydi hynna ddim yn deg... Ond dwi ddim yn deall be dwi wedi neud o'i le, wnewch chi plis ddweud wrtha i pa iaith anaddas dwi wedi'i defnyddio?'

'Digon o dy nonsens di.'

'Mi wna i'ch helpu chi syr, mi wna i ddeud o i gyd eto, a codwch chi'ch llaw pan dwi'n dweud be sy'n annerbyniol, rŵan 'ta, plis,' a chan annog y dosbarth i ailadrodd pob gair ar ei ôl, dechreuodd y llafar ganu. Eisteddodd Iorwerth wrth ei ddesg,

'Oedd.'

'Oedd.'

Rhoddodd ei ddwy foch fain yn nghledr ei ddwy law, a phwyso ar ei ddwy fraich.

'Harri.'

'Harri.'

'Yr wythfed.'

'Yr wythfed.'

Syllodd ei lygaid i ryw lonyddwch pell wrth i'r sŵn clegar gynyddu o'i gwmpas.

'Yn.'

'Yn.'

Clywai bob gair, yn atsain o'i gwmpas, gwyddai beth oedd yn dod nesaf, ond doedd o ddim yn malio.

'Ffwcio.'

'Ffwcio.'

'Glywsoch chi hynna Mr. Jones?'

'Glywsoch chi hynna Mr. Jones?'

'Ffwcio.'

'Ffwcio.'

Roedd ei ddesg yn ynys bellennig, a doedd y sŵn o'i gwmpas yn ddim ond sŵn gwylanod yn cecru ymhlith ei gilydd.

'Ffwcio, ffwcio, ffwcio...'

Erbyn hyn roedd anhrefn llwyr yn y dosbarth, yn sgrechfeydd heb unrhyw reolaeth. Roedd llyfrau'n hedfan, desgiau'n cael eu curo fel drymiau, plant ar eu traed yn siantio, eraill yn sgwennu ar y bwrdd du, ac Iorwerth yn syllu ar y cyfan drwy lygaid pŵl, fel petai hyn oll yn digwydd i rywun arall.

'Shysh, shysh,' gwaeddodd Gwynfor ar draws pawb, 'gwrandwch...

Dacw Ann yn dŵad, dros y gamfa wen,

Babi yn ei bola a Harri ar ei chefn,

Y fuwch yn y beudy yn brefu am y llo,

Y llo yr ochr arall yn gweiddi Io! Io!

Io-ri Hanes one two a four

A llgodan bach yn eistedd yn ddel ar ei stôl.'

Chwarddodd pawb yn uchel, chwerthiniad oedd yn llosgi clustiau Iorwerth wrth i bawb ymuno â Gwynfor unwaith eto.

Heddiw...

'Ond dwi wedi awgrymu wrthyn nhw nad ydi amgylchiadau yn rhwydd i mi ar hyn o bryd.'

'Greta! Wnest ti ddim dweud hynny?'

'Do, achos fedrwn i byth fynd rŵan...'

'Ond dydi cynnig fel hyn ddim yn dod yn rhwydd ac mae o'n gynnig i wneud yn union yr hyn rwyt ti'n ei fwynhau.'

'Efallai ei fod o... wrth gwrs 'i fod o, faswn i'n lladd er mwyn cael darlithio yn Efrog Newydd... ond fedra i ddim mynd yno ar hyn o bryd. Rydan ni wedi penderfynu gofalu am Yncl Iorwerth ac mae hynny'n cael blaenoriaeth.'

'Fy nghyfrifoldeb i ydi 'Nhad, does dim rhaid...'

'Paid â hyd yn oed meddwl fel yna. Ein cyfrifoldeb ni ydi Yncl Iorwerth.'

'Dwi ddim isio iddo fo dy gaethiwo di.'

'Bethan, aros am funud, gwranda arnat ti dy hun. Does 'na ddim cyfrifoldeba gwahanol, un set i ti a set arall i mi. Rydan ni'n briod a 'nghenedl i ydi dy genedl di, a 'mhobl i ydi dy bobl di...'

'Paid â dechrau dyfynnu'r Beibl ata i, doedd gen i ddim rhieni efengylaidd.'

Cydiodd Greta yn nwylo Bethan a syllu yn ei llygaid.

'Dwi'n dy garu di Bethan a 'dan ni'n rhannu cyfrifoldeba.'

'Ond mi fedri di fynd... mi allwn ni gadw cysylltiad drwy FaceTime a ballu... a fydd teithio'n ôl ac ymlaen ddim yn lladdfa.'

'Bethan, paid â 'ngwthio i oddi wrthat ti.'

'Dydw i ddim, dwi ddim isio i ti golli cyfle, am 'mod i a
'Nhad fel maen melin...'

'Paid â siarad fel yna. Dwi ddim yn mynd, Bethan. Fan hyn
mae fy lle i efo ti ac Yncl Iorwerth, sy'n tynnu tafod arna i'r
funud yma.'

Syllodd Bethan ar Greta, ei llygaid yn llenwi.

'Ydi o mor amlwg â hynny?'

'Be?'

''Mod i'n ei chael hi'n anodd byw efo fo. Fedra i ddim 'i drin
o fel rwyt ti... a dwi ddim yn deall 'y nheimlada fy hun... dim
'Nhad sydd 'na, dwi ddim yn 'i nabod o.'

'Rwyt ti'n canolbwyntio ar y newid yn hytrach na be sy'n
dal yna.'

'Ydw i? Falla na fi sy'n onest? Optimist wyt ti Greta, ti'n
gweld y gora bob amser. Ond cragen dwi'n weld lle mae
'Nhad, cragen wag, cysgod o be oedd o a'r cysgod hwnnw'n
prysur ddiflannu. A dwi ddim isio gweld hynny'n digwydd.
Ond mae'n rhaid i mi wylio'r peth, does gen i ddim dewis. Wyt
ti ddim yn gweld? Mae gen ti ddewis... paid â gadael i ddyfodol
'Nhad fod yn garchar i ti. Dos i Efrog Newydd, Greta, gwna
dy farc yno.'

'Fasa rhywun yn taeru bo chdi isio cael gwared arna i.'

'Nac ydw siŵr, isio i ti gael yr hyn rwyt yn 'i haeddu ydw
i.'

'Ond dim fel yna mae o'n swnio. Does dim rhaid i ti fod
yn ferthyr, does dim rhaid i'r baich i gyd fod arnat ti. Dwi
isio edrych ar ôl dy dad hefyd achos mai dy dad di ydi o, ond
rhywsut ti'n gwneud i mi deimlo nad ydi hynny yn iawn. Felly,
plis Bethan, ga i'r ferch bengoch llawn afiaith yn ôl plis?'

Roedd Bethan yn fud ac wedi dychryn. Doedd hi 'rioed

wedi clywed Greta'n siarad fel hyn o'r blaen. Edrychodd ar ei thad yn siarad efo'i hun ym mhen arall y stafell. Gwenodd arni, ond ni allai Bethan wenu yn ôl.

'Dwi ddim isio i ti droi ataf i ddeg mlynedd i rŵan, Greta, a dweud petawn i wedi mynd i Efrog Newydd...'

'Dim fi fyddwn i wedyn.'

'Paid â siarad lol.'

'Dim lol ydi o.'

'Dwi eisiau i ti fynd i Efrog Newydd. Fyddi di'n well dy fyd hebddon ni'n dau. Plis Greta, paid â dadla efo fi, dyma'r unig ffordd.'

Roedd Greta'n syfrdan. Cronnai dagrau yn ei llygaid. Ceisiodd ddenu llygaid Bethan i edrych arni, ond roedd ei llygaid wedi eu hoelio ar ei thad ym mhen draw'r ystafell. Doedd dim smic i'w glywed yn yr ystafell heblaw am fwmial tawel ac annealladwy Iorwerth. Curai calon Greta fel gordd yn ei chlustiau, roedd ei cheg yn sych, llyncodd ei phoer fel petai'n paratoi dweud rhywbeth, ond ni wyddai beth i'w ddweud. Roedd chwys oer yn ffurfio ar ei gwar. Ysai am gael cofleidio Bethan a chymryd arni nad oedd y sgwrs yma wedi digwydd. Cydiodd yn ei llaw mewn ymdrech i bontio, roedd llaw Bethan yn oer a heb hyd yn oed edrych ar Greta, cipiodd Bethan ei llaw yn rhydd.

'Fasa'n well i ni feddwl am hyn?' awgrymodd Greta.

'Does 'na ddim i feddwl amdano,' oedd ateb oeraidd Bethan.

'Onid ydi'n perthynas ni'n haeddu rhywbeth?'

'Wn i ddim.'

'Be sy'n bod Anti Glad?' holodd Iorwerth o ben draw y stafell.

'Dim Anti Glad ydw i, Yncl Iorwerth.'

'Peidiwch rwdlan, wrth gwrs mai chi ydi Anti Glad, rydw i'n nabod chi'n iawn.'

'Mae Anti Glad wedi marw ers blynyddoedd, 'Nhad.'

'Doedd dim angen hynna,' mentrodd Greta.

'Mae'n rhaid iddo fo ddeall.'

'Wedi... marw?'

'Ie.'

Echdoe...

Ni wyddai Iorwerth ble y dylai fynd ar ôl cyrraedd yr ysbyty, a ddylai fynd i'r adran ddamweiniau gan mai fan honno fyddai'r ambiwlans wedi mynd â hi, neu a ddylai fynd i un o wardiau'r galon. Bethan, yn ôl ei harfer arweiniodd ef i'r dderbynfa i holi.

'Pnawn da, sut fedra i'ch helpu chi?' meddai'r ferch heb oedi na newid tôn ei llais. Roedd Iorwerth wedi dotio, doedd o erioed wedi cyfarfod ag unrhyw un a allai osgoi newid tôn llais mor rhwydd.

'Anti Gladys.'

'Sori, 'dan ni angen enw llawn.'

'Gwladys Jones, Miss, Miss Gwladys Jones.'

'Sori, does neb o'r enw yna yma, 'dach chi'n siŵr mai i'r sbyty yma mae hi wedi dod?'

'Mae Gladys Jones wedi marw,' meddai Bethan i achub y dydd. 'Mi ddaeth hi mewn neithiwr ond roedd hi wedi marw erbyn cyrraedd yma.'

'O... mae'n ddrwg gen i am eich profedigaeth,' roedd y cwrs trin y cyhoedd wedi rhoi brawddeg i bob achlysur iddi, ond rhywfodd, nid oedd wedi dangos iddi sut i'w defnyddio.

'Dod yma i adnabod y corff yn ffurfiol ydych chi?'

'Ym... ie.'

Fe'u cyfeiriwyd i'r morg. 'Dilyn yr arwyddion, ar hyd y prif goridor, heibio'r liffts, i'r chwith ar ôl pasio'r siop, dilyn y coridor gwydr, troi i'r chwith ar waelod y grisiau, drwy'r drysau dwbl, a cherdded i ben pella'r coridor, ac mae 'na gloch wrth y drws.'

'Diolch.'

'Pnawn da, sut fedra i'ch helpu chi?' a daeth yr ymholydd nesa i lenwi ôl eu sgidiau.

Roedd yn syndod gweld fod y morg yng nghanol campws yr ysbyty, ond roedd Bethan yn argyhoeddedig fod y pensaer yn chwarae jôc ar bobl wrth wneud y llwybr at y morg mor gymhleth. Safodd y tri wrth y drws dwbl gwyn a'i ffenestri crwn. Canodd Bethan y gloch, a chlywid ei sŵn yn atsain yn y pellter. Doedd yr un smic i'w glywed, dim ond atsain y gloch ac anadlu trwm Iorwerth. Roedd o wedi colli'i wynt yn lân wedi cerdded yr holl goridorau hir ac roedd ar fin gweld corff ei fodryb. Byddai'n well ganddo wynebu blwyddyn naw ar bnawn Gwener gwlyb, neu hyd yn oed blymio i bwll tywyll, tywyll y felan felltith, na gorfod camu i mewn drwy'r drysau gwynion a oedd o'i flaen. Safai Bethan fel soldiwr wrth ei ochr, roedd hi wedi bod yn bigog drwy'r dydd, ond erbyn hyn roedd hi'n styfnig, dawedog. Teimlodd Iorwerth law gynnes Margaret, yn gwingo'i ffordd i'w law ef. Gwasgodd ei fysedd yn dyner. Ochneidiodd yn dawel, a thawelodd ei anadl wrth i law gynnes Margaret ei gysuro, ac yntau ar drothwy'r drws i ganol hunllef. Ni wyddai Margaret yn iawn beth i'w wneud. Roedd ei chalon yn curo yn ei gwddf, roedd oglau rhyfedd ysbyty, oglau bresych wedi berwi ac amonia yn gymysg yn codi cyfog arni, ond gwyddai fod yn rhaid iddi ddod yma, er mwyn Iorwerth.

Clywyd sŵn clecian gwadnau esgidiau lledr ar y coridor yr ochr draw i'r drysau gwyn, y sŵn yn dynesu'n bwyllog hyderus, a sawdl yn clecian. Agorodd y drws ar y chwith fel petai corwynt wedi ei sgubo o'r neilltu, a dyna lle safai Adam. Roedd ei wallt du wedi ei glymu'n ôl yn gynffon hir, ei farf denau bron â chyrraedd ei fogail ac roedd ei sbectol gron yn hongian yn llipa ar ei drwyn sylweddol.

'Helô!' meddai'n ddioglyd.

'Rydan ni yma i weld corff Gwladys Jones.'

'Popeth yn iawn. Adam ydw i, dowch i mewn,' meddai wrth eu tywys i mewn.

Roedd Iorwerth wedi disgwyl gweld lle llawer iawn mwy, coridorau hir o deils gwyrdd tywyll, ac oerni sur yn codi blewiach y gwegil i sefyll ar eu pen, ac arogleuon formaldehyde yn llenwi'r ffroenau. Ond roedd y gongl hon 'run fath â phob coridor moel arall yn yr ysbyty. Disgwyliai gael ei arwain i stafell gyda droriau dur enfawr yn llenwi un wal, ac yna gyda chryn ymdrech byddai Adam yn llusgo un drôr yn agored, cyn tynnu cynfas gotwm wen naill ochr i ddangos wyneb gwelw Anti Glad. Ond yn hytrach na hynny arweiniodd Adam hwy i stafell fechan yn agos at y drysau gwyn lle nad oedd dodrefnyn yn yr ystafell, dim ond troli moel a chorff Anti Glad yn gorwedd arno dan gynfas wen, a'r plygiadau startslyd newydd yn denu llygaid Iorwerth.

'Mi wna i'ch gadael chi am funud neu ddau efo Miss Gwladys Jones,' meddai Adam ac anwyldeb dieithr yn cynhesu ei lais drwyddo.

'Diolch,' meddai Margaret, yn ymwybodol nad oedd 'run o'r ddau arall yn mynd i ymateb.

Roedd tawelwch mud yn tyfu'n arferiad rhwng y tri erbyn hyn.

'Deffrwch neno'r Tad, be haru chi'n stydio'r ôl smwddio ar y gynfas 'na, yn lle codi cwr y llen,' dyna ddychmygai Bethan fyddai llais main Anti Glad yn ei gyhoeddi gyda chwerthiniad iach. Ond ni allai Bethan symud bys.

'Gwell i ni 'i gweld hi 'ta?' holodd Iorwerth.

'Aiff hi ddim mymryn haws wrth oedi,' meddai Margaret yn dyner.

Ond ni symudodd neb 'run fodfedd. Roedd drws yn cau yn glep ymhell i lawr y coridor ac ymhell bell i ffwrdd roedd seiren ambiwlans yn sgrechian ei ffordd at yr ysbyty. Roedd 'na bry'n dyrnu ei ben yn erbyn gwydr oer y ffenestr. Camodd Iorwerth yn nes at y troli. Llowciodd anadl drom, estyn ei law at gongl y gynfas, rhewodd, heb allu symud o gwbl. Oedodd amser a rhedai ias oer i lawr ei wegil. Am yr ail waith o fewn y deg munud diwethaf teimlai law gynnes Margaret yn lapio am ei law oer, esgyrnog. Roedd haen denau o chwys i'w deimlo ar gledr ei llaw, gwasgodd gefn llaw ei gŵr, a thynnodd ei law ynghyd â'r gynfas yn ôl. Roedd corff Gwladys Jones yno, ei gwallt brith yn daclusach nag roedd 'run o'r tri yn ei gofio. Ei gên lydan hi oedd hwn, trwyn main y teulu oedd y trwyn, a'i haeliau trwchus hi oedd yno dan y gynfas. Ond, nid Anti Glad oedd yn gorwedd ar y troli, roedd gwrid ei bochau iachus wedi pylu, ei llygaid ynghau a doedd 'na'r un gair nac ebwch, na hyd yn oed awgrym o'r llond bol o chwerthin ar y gwefusau main oedd wedi eu gwasgu'n dynn at ei gilydd. Roedd Bethan yn falch nad Anti Glad a welai'n gorwedd yno. Ochneidiodd Iorwerth yn dyner ac er na welodd neb hwy, sychodd Margaret ddeigryn cynnil o gongl ei llygaid.

Dychwelwyd cynfas gotwm wen yr ysbyty dros wyneb Gwladys Jones. Syllodd y tri ar ddisgleirdeb y gynfas, roedd eu byd yn dywyllach nag a fu erioed o'r blaen. Ni wyddai 'run o'r tri beth i'w wneud, ond roedd synnwyr cyffredin yn dweud bod rhaid iddyn nhw adael, er bod symud bys fel petai yn frad, yn ei gollwng o'r cof. Safent am funudau hir, yna'n sydyn aeth y stafell fel y fagddu, diffoddodd y golau ohono 'i hun, ac yn y tywyllwch, dechreuodd Bethan chwerthin, ac roedd y chwerthin yn heintus, a dychwelodd y golau wrth i Iorwerth wingo chwerthin ac i Margaret hyd yn oed ddechrau giglo. Cyn pen dim roedd y tri yn eu dyblau a'r adeilad prudd yn gael ei oglais drwyddo gan leisiau'r tri.

Heddiw...

Penderfynodd Greta nad oedd pwrpas dadlau gyda Bethan. Cyhoeddodd y byddai'n well iddi dreulio ychydig ddyddiau adref yn Berllan Bella, fel y gallai gael amser i feddwl ac ystyried. Roedd Bethan wedi cytuno y byddai hynny'n llesol. Felly, mewn tawelwch gadawodd Greta Bethan a'i thad yn eistedd, un ym mhob pen y stafell ac aeth i'r llofft i bacio bag bychan. Roedd ei chamau'n drymion ar y grisiau wrth ddychwelyd ac roedd eu sŵn yn diasbedain drwy'r tawelwch pwdlyd.

'Dwi'n mynd felly.'

'Iawn. Cymer ofal ar y ffordd.'

'Dyma wyt ti isio?'

'Ie.'

'Cymerwch ofal, Yncl Iorwerth,' rhoddodd gusan ysgafn ar ei foch, 'mi ro i ganiad ar ôl cyrraedd.'

'Os wyt ti eisiau.'

'Ydw... Dwi'n dy garu di.'

'A finna titha.'

'Ond os hynny, pam?'

'Paid. Dos.'

'Fyddi di'n iawn efo Yncl Iorwerth?'

'Bydda.'

Gwenodd ar Iorwerth, trodd am y drws, cymryd un cip arall ar wyneb Bethan cyn gadael y tŷ, ond doedd dim mymryn o ymateb i'w weld ganddi. Gyrrodd am Berllan Bella a'i dagrau'n llifo.

Ni allai Bethan gysgu'r noson honno. Roedd y gwely'n unig, ac er mai dim ond neges destun a gafodd gan Greta o Berllan Bella, roedd ei dderbyn wedi ei hysgwyd. Gwibiodd y sgwrs rhyngddi hi a Greta drwy ei meddwl sawl gwaith. Gwyddai iddi fod ychydig yn fyrbwyll, ond roedd wedi argyhoeddi ei hun mai dyna oedd y peth iawn. Er hynny gallai flasu'r tristwch a'r hiraeth fel surni yn ei stumog am dri y bore.

Pan ddaeth y wawr o'r diwedd roedd blas neithiwr a'r diffyg cwsg yn gwneud Bethan yn hynod bigog, ond roedd Iorwerth fel y gog wedi cysgu fel twrch drwy'r nos.

'Pa ddiwrnod ydi hi?'

'Dydd Llun, sbïwch, 'na i sgwennu fo a'i roi ar y bwrdd pinna 'ma yn fan hyn,' ymatebodd Bethan gan sgriblo'r geiriau dydd Llun a'i osod ar y wal.

'Dydd Llun,' cyhoeddodd Iorwerth yn ffurfiol, 'diwrnod golchi!'

'Mewn rhyw oes bell yn ôl.'

'Faint o'r gloch ydi hi? Mae hi'n gloch i gyd ond ei thafod.'

'Ia, ia, doniol iawn, 'Nhad.'

Fe allech chi dorri'r ias efo cyllell uwchben y bwrdd brecwast. Roedd llwy Iorwerth yn tincian yn erbyn ymyl ei ddysgl o uwd, roedd yr oergell yn mwmial yn boenus yn y gornel a phob cam o eiddo bysedd y cloc yn cripio'u ffordd undonog yn profi amynedd Bethan. Penderfynodd y byddai'n well iddi beidio mynd i'r gwaith, gan fod rhaid gwneud trefniadau gofal am ei thad. Cododd y ffôn.

'Sue'n siarad, bore da...'

'Bore da, Bethan sydd 'ma...'

'Doeddwn i ddim yn disgwyl clywed dy lais di mor gynnar.'

'Ydi, mae hi'n gynnar, dwi'n synnu fy hun.'

'Popeth yn iawn? Ti'n swnio braidd yn bryderus.'

'Ydw i? Sori, isio gadael i ti wybod bod rhaid i mi edrych ar ôl 'Nhad heddiw. Fydda i mewn fory.'

'O...'

'Pam? Be sy'n bod?'

'Wyt ti ddim yn cofio? Mae gen ti gyfarfod efo Bruce am ddeg heddiw.'

'O dario... fedri di aildrefnu?'

'Na alla. Fel ti'n gwybod, does 'na ddim ffordd i gysylltu efo Bruce. Fedri di sbario hanner awr bach?'

''Nhad ydi'r drafferth. Er dwi'n siŵr y bydda fo'n iawn am ryw hanner awr. Ôl reit, mi fydda i yna erbyn deg.'

Doedd Bethan ddim am weld Bruce o bawb y bore hwnnw. Un o'r bobl anodd hynny roedd yn rhaid iddi ddelio efo nhw, yn dewis bod yn ddigartref yn yr haf, ac yna'n dymuno help i ddarganfod tŷ erbyn y gaeaf. Byddai'n rhaid wynebu hanner awr o droi trwyn ar bob cynnig a gweld bai ar bawb a phopeth, ond gwell hynny na dioddef edliw nad oedd hi'n malio digon amdano i ddod i'w gyfarfod. Felly, ceisiodd esbonio i'w thad ei bod yn mynd i'r gwaith am ryw hanner awr a bod angen i Iorwerth aros yn y tŷ a gwylio teledu. Diffoddodd bob peiriant rhag i'w thad ei danio: y tegell, y stof, yr haearn smwddio ac amryw o geriach eraill. Daeth o hyd i sianel oedd yn dangos gemau snwcer, am y gwyddai ei fod wrth ei fodd yn gwylio'r gêm. Felly, yn ddigon petrus, rhoddodd gusan ar ei foch, taflu golwg sydyn dros y tŷ unwaith eto a chychwyn am y gwaith gan gau'r drws o'i hôl. Oedodd am eiliad ar y palmant gan ystyried a ddylai gloi'r drws. Estynnodd y goriad, syllodd ar y fodrwy allweddi a llun Greta arno, dychwelodd ef i'w phoced a chychwyn ar ei thaith. Y foment honno roedd yr hiraeth am Greta yn llethol. Fu hi erioed mor unig.

Roedd ei swyddfa mewn hen gapel ym mhen uchaf Heol y Gadeirlan, gwaith deg munud da o gerdded. Ond, er iddi gyrraedd ddau funud wedi deg, doedd dim golwg o Bruce yn unman. Roedd hynny'n rhyfedd gan ei fod yn greadur mor feirniadol o bawb. Felly, wedi cyfarch hwn a'r llall yn y swyddfa aeth Bethan at ei desg a dechrau delio gydag ambell e-bost. Wedi dileu pedwar neu bump o e-byst diwerth, ochneidiodd a throi ei llygoden at ei he-bost personol. Byddai wedi gwirioni petai 'na neges gan Greta. Ond doedd dim un yno. Yn anymwybodol bron, galwodd holl e-byst Greta ar ei sgrin a dechreuodd eu darllen un ar ôl y llall. Negeseuon bach o ddydd i ddydd oedd llawer iawn ohonyn nhw, dim byd mwy na gofyn iddi brynu llaeth ar ei ffordd gartref, holi oedd hi ffansi paned, neu yn well fyth paned a chacen. Oedodd cyn agor y seithfed neu'r wythfed neges. Symudodd drwyn y llygoden i agor neges newydd, teipiodd enw Greta, cliciodd i dderbyn y cyfeiriad cyfarwydd a ymddangosodd ar y sgrin. Fflachiai'r cyrchwr arni'n gyhuddgar ar ben y sgrin wen, ond ni wyddai beth i'w deipio.

Greta... teipiodd y gair cyntaf. Dychwelodd ato ac ychwanegu, *F'annwyl Greta...* Oedodd eto, dychwelodd a chwalu'r ddau air. *Greta...* dechrau eto... *fe wyddost ti mai creadures fyrbwyll wyllt* ydw i... oedodd... *a tydw i ddim yn dweud na gwneud y pethau doeth bob amser...* roedd ei bysedd yn hongian yn llipa uwchben y cyfrifiadur... *ydw, dwi'n drama queen, wedi dysgu gen ti decini...* chwalodd y cyfan unwaith eto... *Greta dwi ddim eisiau dinistrio popeth ond mae arna i ofn...*

Heddiw...

Diflasodd Iorwerth ar y snwcer mewn dim o dro. Roedd chwant bwyd arno, felly yn ôl ei arfer aeth at yr oergell. Daeth ias oer gyda'r golau gwyn i gofleidio'i gorff wrth iddo agor y drws. Roedd digon o ddewis, ond yr ham oedd ei ddewis cyntaf. Cydiodd yn y pecyn oedd eisoes wedi ei agor, cododd un dafell denau o'r cig fel petai'n codi trysor. Dyma'i rowlio rhwng ei fys a'i fawd cyn ei llowcio'n gyfan. Caeodd ei lygaid a mwynhau'r blas melys a'r awgrym o flas hallt oedd yn glynu wrth ei dafod. Estynnodd dafell arall, ac un arall, ac un arall nes bod y pecyn yn wag. Caeodd y paced gwag a'i osod yn ôl yn yr oergell. Estynnodd y pecyn o gaws coch a rhwygodd dalp sylweddol o'r caws gan ei sglaffio'n sydyn er mwyn i flas y caws a'r ham blethu yn ei gilydd. Drachtiodd y sudd afal yn syth o'r botel yn nrws yr oergell, a sŵn y llowcian yn atsain drwy'r gegin. Syrthiodd rhai diferion ar ei grys. Iogwrt oedd nesaf. Cydiodd mewn llwy bwdin sylweddol a'i phlannu'n ddwfn yng nghanol y twb o iogwrt mafon a rhofiodd y cynnwys i'w geg yn farus. Bu wrth ddrws agored yr oergell am amser maith cyn teimlo iddo gael digon. Torrodd wynt wrth gau'r drws.

'Doctor doctor, pigyn yn fy ochor,
Well gen i roi pwmp o rech
Na talu chwech i'r doctor.'

Chwarddodd wrtho'i hun, yna dychwelodd at y snwcer. Ond

roedd hwnnw yr un mor ddiflas ag roedd o cynt. Crwydrodd
ar hyd y tŷ yn ddiamcan, agorodd ambell gwpwrdd ac yna ei
gau drachefn, aeth i mewn i'r twll dan y grisiau gan gau'r drws
tu ôl iddo, ond peth diflas oedd tywyllwch hefyd. Syllodd
drwy'r ffenestr a sylweddoli ei bod hi'n haul cynnes y tu allan.
Penderfynodd ei fod am fynd am dro yn yr haul. Felly gyda
phendantrwydd dyn ar berwyl o bwys, aeth allan i'r stryd
gan adael y drws ffrynt yn llydan agored. Ond unwaith roedd
ei draed ar y palmant tu allan, diflannodd ei hyder, gan fod
popeth mor ddieithr iddo. Mentrodd ar hyd y palmant i ben
draw'r stryd, ond dim ond stryd arall oedd yno. Gwelodd
res hir o dai unffurf. Roedd ar fin troi'n ôl a dychwelyd pan
sylweddolodd fod coed i'w gweld ym mhen pella'r stryd honno.
Penderfynodd ei fod am ddringo coeden. Daeth pwrpas i'w
gerddediad unwaith eto, gwthiodd ei sbectol yn ôl i ben ei
drwyn, a chyda'i freichiau'n chwifio fel melin cerddodd i
gyfeiriad coed Parc Victoria.

Echdoe...

'Anti Glad?'

'Ia 'ngwas i!'

'Dwi wedi dringo pob un goeden wrth yr afon.'

'Bob un!'

Pob un wan jac!'

'Rargian, pryd gwnest ti hynny?'

'Ddoe.'

'Da machgen i, rwyt ti'n werth y byd i gyd yn grwn.'

'Ac Awstralia.'

'Fan honno hefyd!'

Heddiw...

'Pws, pws, pws! Pws, pws, pws!' roedd Beth wedi bod yn chwilio am Mursen Tomos am hydoedd. Doedd hi ddim yn anufudd fel hyn fel arfer, roedd hi ymhlith yr orau o gathod. Ond heddiw doedd dim golwg ohoni yn unman. Roedd Beth yn saith oed ers wythnos diwethaf ac yn eneth fawr erbyn hyn. Doedd 'run adyn yn y parc y bore hwnnw, ond doedd dim golwg o Mursen Tomos chwaith. Yn ddwfn yn ei meddwl roedd yn ofni fod Mursen Tomos wedi mynd i nefoedd y cathod at Pwt a dyna pam roedd yn rhoi y fath egni wrth weiddi, 'pws, pws, pws!'

Heblaw am gath ddu a gwyn ni welsai Iorwerth neb ar hyd y stryd a arweiniai at y goeden a phan gamodd i mewn i'r parc, doedd neb yno chwaith. Safodd yn syllu ar goed y parc, y lle chwarae a'r gwlâu blodau oedd â golwg trannoeth eu gogoniant arnynt. Meddiannodd tawelwch od y lle ac roedd mymryn o wlith y bore yn glynu'n styfnig at y glaswellt oedd wedi ei dorri'n fyr. Dyna pryd y gwelodd hi gyntaf. Cip sydyn drwy gornel llygaid, fflach o wallt fflamgoch wrth fôn ryw goeden. Galwodd arni.

'Bethan! Be wyt ti'n wneud fan hyn? Lle rwyt ti 'di bod?'

Rhewodd Beth yn y fan a'r lle. Roedd rhywun wedi ei gweld hi a byddai Mami'n flin ei bod hi wedi mynd i grwydro ar ei phen ei hun. Ond doedd hi ddim yn cofio gweld yr hen ŵr yma o'r blaen. Ond sut byddai o'n gwybod ei henw, os nad oedd o'n adnabod ei rhieni?

'Chwilio am Mursen Tomos, mae hi wedi mynd ar goll.'

'Mursen Tomos?'

'Y gath.'

'Welis i gath yn fan acw,' meddai Iorwerth yn sylweddoli na wyddai yn lle erbyn hyn.

'Yn lle? Tyrd!' meddai gan estyn ei llaw i Iorwerth.

Oedodd am eiliad heb wybod beth i'w wneud.

'Tyrd, neu mi fydd Mursen Tomos wedi mynd eto.'

Cydiodd yn ei llaw a dyma hithau yn cychwyn ar wib i'r cyfeiriad roedd Iorwerth wedi pwyntio ato.

'Cath ddu a gwyn... du a gwyn ydi Mursen Tomos. Dwy bawen ddu ganddi a hosan wen ar un droed ôl a smotyn gwyn ar y llall. A lot o wyn o un glust at ei llygaid. A chynffon hir, hir fflyffi sy'n chwifio fatha fflag o un ochr i'r llall.'

'Pwsi Meri Mew,

lle collaist ti dy flew?

Wrth gario tân,

i Modryb Siân,

drwy'r eira mawr a'r rhew,' oedd ymateb Iorwerth.

Chwarddodd Beth a syllu ar wyneb Iorwerth. Penderfynodd ei fod yn wyneb caredig iawn.

'Dwi heb glwad honna o'r blaen.'

'Do siŵr, dwi wedi adrodd honna i ti ganwaith.'

Er nad oedd Beth yn deall hynny yn iawn, anwybyddodd y peth.

'Sut mae hi'n mynd eto? Pwsi...'

'... Meri Mew,

lle collaist ti dy flew?

Wrth gario tân

i Modryb Siân,

drwy'r eira mawr a'r rhew.'

Ac i ffwrdd â'r ddau law yn llaw i chwilio am Mursen Tomos yn lled ganu 'Pwsi Meri Mew'...

* * *

Nid oedd fawr o hwyliau ar Greta yn Berllan Bella. Roedd hi'n anniddig, yn cerdded y tŷ'n ddiamynedd a doedd neb yn gwneud dim yn iawn yn ei golwg.

'Stedda wir, rwyt ti'n codi'r bendro arna i!' meddai Gareth, ei thad.

'Dwi ddim isio eistedd.'

'Pam na gerddi di'n ôl i Gaerdydd 'ta?'

'Doniol iawn, Dad!'

'Dwi ddim yn tynnu coes.'

'Mae dy dad yn iawn,' ymunodd Ann yn y drafodaeth.

'Peidiwch â'i annog o, wir.'

'Mae o'n siarad sens.'

'Dydach chi ddim yn deall, tydi Bethan ddim isio fi yng Nghaerdydd, mae hi wedi dweud hynny.'

'Ers pryd wyt ti'n gwrando ar bobl eraill?' meddai ei thad gan chwerthin.

'Plis Dad, peidiwch â gwneud jôc o bob dim. Fedrwn ni ddim chwerthin am ben popeth. Bethan ydi'r person pwysica yn y byd i mi a fedra i ddim meddwl am fyw hebddi. Felly plis, am unwaith, gawn ni anghofio'r jôcs?'

'Rargian fawr, Greta, llai o bregethu a thipyn bach mwy o ystyried.'

Syllodd Greta ar ei thad, roedd ei lygaid yn tanio. Doedd hi ddim yn gyfarwydd efo ymateb fel hyn ganddo.

'Sori,' meddai'n dawel wrth ei thad.

'Rwyt ti'n gwybod yn iawn, doedden ni ddim yn deall eich perthynas chi i ddechrau. Os bydda i'n onest doeddwn i ddim yn hapus o gwbl... a doedd hi ddim yn hawdd... ond wrth eich gweld chi'ch dwy efo'ch gilydd a sylweddoli be oedd gynnoch chi, fe ddaethom ni i ddeall a gwerthfawrogi. 'Dan ni wedi ei ddeall o fel y peth mwya naturiol yn y byd erbyn hyn. Ond be ddaeth yn amlwg oedd bo chdi'n ufudd i dy reddf. A dwi'n argyhoeddedig fod y reddf honno'n gadarn. Dydi dy fam na finna ddim yn deall be sy'n bod arnat ti rŵan. Rwyt ti'n gwybod yn iawn bo chdi eisiau bod efo Bethan, mae dy reddf di yn dweud hynny, ond yn hytrach na dal i drafod efo hi, rwyt ti fan hyn fel cath ar daranau.'

'Ond 'dach chi wedi dysgu i mi hefyd fod cariad yn gwrando. Dwi wedi trio gwrando ar Bethan, a rhoi lle ac amser iddi.'

'Ond mae Bethan yn llawn pryder am ei thad, ti'n gwybod hynny. Wyt ti ddim wedi sylwi ar y newid sy wedi digwydd ynddi hi?'

'Be 'dach chi'n feddwl?'

'Greta fach, ddwy flynedd yn ôl fasa Bethan ddim yn ymateb fel hyn. Roedd y ddwy ohonoch chi fel eich gilydd... Wydden ni ddim be fydda'n digwydd nesa. Ond yn araf bach mae hi wedi mynd i'w chragen. Mae hi'n cau ei theimladau dan gaead piser, a lleia yn y byd mae hi'n drafod mwya byrbwyll fydd ei phenderfyniadau.'

'Tydi gofal am rieni ddim i fod i gael effaith fel yna.'

'Nac ydi, ond rhaid i ti gofio hefyd mae hi'n byw efo chdi.'

'Jôc arall. Plis 'Nhad...'

'Sori, temtasiwn yn ormod.'

'Greta,' cydiodd ei mam yn ei llaw, 'mae arni hi ofn...'

'Ofn?'

'Mae arni hi ofn be sy'n digwydd i'w thad, ac mae arni hi ofn ei theimlada ei hun. Meddwl am y peth, roedd hi a'i thad mor agos bob amser, hyd yn oed yn ystod yr hen ddyddiau du 'na roedd o'n gael. Ond rŵan, fel ti'n dweud dy hun, dydi Iorwerth ddim yn 'i nabod hi hyd yn oed. Sut mae hi'n teimlo ynghylch hynny, wyt ti'n meddwl? Dwi'n siŵr bod hi'n berwi tu mewn. Falla mai Anti Glad wyt ti iddo fo, ond be ydi Bethan? Dim byd, greadures fach. Fedar hi ddim dweud hyn i gyd wrth ei thad, ond mae'n rhaid i'r cwbl ddod allan yn rhywle, ac felly mae gen i ofn mai ti sy'n cael y gwenwyn i gyd. Mae hi dy angen di Greta, achos heb rywun i siarad efo hi a phwyso a mesur petha, ti'n gwybod yn iawn, mi fydd hi'n gwneud penderfyniadau'r munud hwnnw. Mae ganddi lai o amynedd na chdi hyd yn oed. Efo Bethan mae dy le di. Rŵan dos yn ôl, neno'r tad.'

* * *

Dileu pob ymdrech i greu e-bost wnaeth Bethan, a chan na welwyd golwg o Bruce, gadawodd y swyddfa. Safodd ar fin y ffordd yn aros am fwlch bach yn y llif diddiwedd o draffig ar Heol y Gadeirlan. Trodd y goleuadau traffig ryw hanner can llath i lawr y lôn yn goch. O'r diwedd roedd cyfle i groesi. Edrychodd i'r dde ac unwaith roedd y car llwyd wedi pasio gallai groesi. Roedd wedi cyrraedd canol y ffordd pan ganodd rhyw gar ei gorn yn chwyrn. Llamodd calon Bethan, roedd 'na gar oedd wedi parcio o flaen Coffee#1 wedi cychwyn a hithau ddim wedi sylwi.

Ond gwenai'r gyrrwr yn ddigon clên arni drwy'r ffenestr, cododd ei law ac i ffwrdd ag ef. Roedd ei phen gliniau yn reit wan wrth gyrraedd y palmant yr ochr draw. Cydiodd mewn postyn arwyddo i sadio ei hun. Ni allai ddeall pam nad oedd wedi bwrw golwg i ochr chwith y ffordd. Byddai ei thad wedi cymryd mwy o ofal na hynny. Cymerodd gip sydyn ar ei horiawr, roedd dros awr wedi diflannu i rywle, roedd rhaid brysio yn ôl adref. Doedd hi byth yn sicr iawn pa un oedd y llwybr tarw yn ôl i Lionel Road. Penderfynodd ddilyn y llwybr troellog hwnnw drwy'r strydoedd bychain rhwng yr Halfway a'r Conway i gyrraedd ffordd Llandaf.

* * *

'Mae Mursen Tomos yn lecio cysgu ar 'y ngwely i bob dydd. Ond dydi Mam ddim eisio iddi fod yno achos mae hi'n colli blew dros bob man, medda hi. Be ydi'r ots ynde? Mae 'i blew hi yn feddal, feddal. Pan fydda i'n eistedd yn gwylio teledu mae Mursen Tomos yn cerdded rownd a rownd fy nghoesa i a'i chynffon yn sticio'n syth i fyny i'r awyr. Mae teimlo'i blew yn cosi fy nghoesa i'n deimlad neis, neis. Wedyn mae hi'n neidio ar 'y nglin i ac yn syllu efo'i llygaid mawr ar 'yn wyneb i, cystal â gofyn ydi hi'n cael rowlio'n belen a mynd i gysgu yno. Ond cyn gorwedd mae hi'n closio ata i, yn cau 'i llygaid, yn rhwbio'i boch yn erbyn 'y mraich a wedyn lapio'i hun fel pelen o fflwff sy'n canu grwndi ar 'y nglin i.'

Doedd Iorwerth erioed wedi clywed Bethan yn trafod cath fel hyn o'r blaen, ac wedi credu mai Mot oedd ffefryn Bethan. Ond doedd fawr o ots am hynny, roedd ei llaw fach hi'n gynnes yn ei law ef ac roedden nhw yn mynd am dro.

'Lle oedd Mursen Tomos felly?'

Doedd Iorwerth ddim yn cofio, bellach. Roedd o 'di gweld cath wrth ochr rhyw gar, ond pa gar a pha gath wyddai o ddim.

'Rhywle fan hyn,' awgrymodd.

Roedd Beth yn gwibio mynd, ac yn ceisio syllu dan ambell i gar.

'Pws, pws, pws! Pws, pws, pws! Mursen Tomos.'

Llusgai Iorwerth yn ei llaw, gan barablu pymtheg y dwsin ar y ffordd.

'Mae hi'n gath sy'n crwydro. Mae Dad yn dweud o hyd y bydd hi siŵr o fynd ar goll. Un bore mi sleifiodd i mewn i gar Dad yn y bore. Ar Dad oedd y bai yn gadael drws y car yn agored, meddai Mam. Pan oedd Dad hanner ffordd i'r gwaith y bore hwnnw a newydd stopio wrth olau traffig, mi neidiodd Mursen Tomos ar ei lin. Cafodd Dad ofn a mi neidiodd nes taro'i ben yn y to. Wedyn bu'n rhaid iddo fo ddod yn ôl adra a rhoi Mursen Tomos yn y tŷ. Doedd o ddim yn hapus achos roedd o'n hwyr i'r gwaith.'

Erbyn hyn roedden nhw wedi cyrraedd pen pella'r stryd. Dyma benderfynu troi i'r chwith ar ffordd hir, yn dechrau'n gymharol wastad cyn codi'n fwy serth. Hanner ffordd ar hyd y stryd o dai roedd 'na floc mawr o fflatiau digon di-lun yr olwg. Gallai Iorwerth weld fod stryd go brysur ym mhen pella'r stryd. Doedd dim yn atal Beth, cerddai ar frys gwyllt yn dal i alw am Mursen Tomos. Roedd Iorwerth eisiau dweud wrthi nad oedd yn credu y dylen nhw grwydro mor bell, ond doedd dim gwrando yn ei chroen hi, dim ond chwilio am Mursen Tomos.

'Ydach chi wedi gweld cath ddu a gwyn o'r enw Mursen Tomos?' meddai Beth yn hy wrth wraig oedrannus oedd yn dod i'w cyfarfod.

'Sorry didn't catch that?' atebodd hithau.

'I look for my cat, Mursen Tomos,' meddai yn ei Saesneg clogyrnaidd.

'A cat? Lost your cat, poor thing, hope you find her,' a ffwrdd â hi ar ei thaith.

* * *

Cerddai Bethan yn fân ac yn fuan ar hyd y strydoedd i gyfeiriad Lionel Road. Ni allai ddarlunio trefn y strydoedd yn ei phen o gwbl. Gwyddai na ellid mynd at Lionel Road heblaw o Heol y Bont-faen. Cerddai balmant anwastad Conway Road, ac roedd gwreiddiau'r coed arno fel breichiau rhyw anghenfil tanddaearol a allai godi cerrig palmant fel petaen nhw'n deganau. Bron na allai eu dychmygu nhw'n symud yn araf i lapio am ei choesau a'i thynnu i lawr i ddyfnderoedd tywyll y byd tanddaearol. Roedd undonedd Pembroke Road yn rhyddhad i rywun â chymaint o ddychymyg. Clive Road nesa, wedyn ffordd brysur y Bont-faen, ac o'r diwedd Lionel Road. Wrth nesu at y tŷ, safodd yn stond, ei llygaid wedi agor led y pen, ei gên wedi ei gollwng, roedd y drws ar agor. Brysiodd i mewn drwyddo.

''Nhad!' gwaeddodd, ''Nhad! Lle ydach chi?'

Roedd hi erbyn hyn yn gwibio drwy'r tŷ yn agor bob drws, yn galw ar Iorwerth a phob cam yn cyflymu a'i chalon ar fin ffrwydro. Roedd y tŷ'n wag. Eisteddodd ar y grisiau a chladdu ei phen yn ei dwylo. Hi oedd yn gyfrifol am y llanast yma. Hi oedd wedi gyrru Greta yn ôl i Berllan Bella, hi oedd wedi tybio y gallai ofalu am ei thad, hi oedd wedi mynd a'i adael er mwyn cyfarfod Bruce, hi oedd wedi treulio awr a hanner ar siwrnai seithug, ac yn awr roedd ei thad ar goll, mewn gorsaf heddlu yn rhywle, wedi ei daro gan gar ac mewn ysbyty yn rhywle, neu wedi boddi yn yr afon. Cododd ar ei thraed ac aeth allan o'r tŷ. Disgleiriai'r haul ar y rhif 13 ar ganol y drws wrth iddi gychwyn ar hyd y stryd i chwilio am ei thad.

* * *

Teimlai Iorwerth fod ei goesau'n gwegian wedi iddyn nhw gyrraedd pen yr allt. Ond doedd dim stop ar siarad nac ar egni Beth. Roedd y ffordd hon yn un brysur iawn a gwyddai Iorwerth nad oedd pethau'n argoeli'n dda. Llusgodd Beth ef at lamp oren oedd yn fflachio uwchben.

'Mae mam yn dweud mai dim ond fan hyn mae croesi'r ffordd,' cyhoeddodd mewn llais awdurdodol. Daeth y traffig oll i stop wrth iddynt groesi, a thywyswyd Iorwerth ymlaen ar yr ymchwil ofer am Mursen Tomos.

* * *

Dechreuodd Bethan y chwilio drwy holi rhai o'r cymdogion. Nid oedd rhai yn ei hadnabod hyd yn oed. Eraill ddim yn ymwybodol fod ei thad yn byw efo nhw. Roedd un yn holi am Greta ac ambell un yn dweud na welson nhw fo.

'Mi fydd siŵr o ffendio'i ffordd adref,' meddai Ken oedd yn byw yn rhif deunaw.

'Na, dyna ydi'r pryder,' cyfaddefodd Bethan, 'mae ei gof yn fregus iawn bellach.'

'Pam na fasach chi wedi dweud,' meddai yntau gan estyn goriad ei dŷ, 'mi ddo'i i chwilio efo chi. Dwi'n siŵr y daw Harri dros ffordd hefyd,' ychwanegodd gan gamu allan i'r stryd, 'Sut un ydi o, felly? Be mae o'n wisgo?'

Ceisiodd Bethan gofio, beth roedd yn ei wisgo, trowsus llwyd a chrys glas, efo siwmper lliw gwin heb lewys arni, fe dybiai. Gwallt wedi britho a theneuo, efo cudyn hir dros ei ben a sbectol gron yn llithro lawr ei drwyn main. Cofiodd wedyn fod ganddi luniau ohono ar ei ffôn yn y tŷ a brysiodd gartref i nôl honno tra bod Ken yn curo drws Harri dros y ffordd. Rhoddodd Bethan ochenaid o ryddhad.

'Mae 'na Dduw wedi'r cyfan!' ochneidiodd. Byddai'r tri'n

siŵr o ddod o hyd i'w thad. Bu trafod mawr pa ffordd i chwilio, cyfnewid rhifau ffôn a rhannu lluniau cyn i'r tri gychwyn i wahanol gyfeiriadau i chwilio am Iorwerth.

* * *

'Beth! Beth! Tyrd rŵan, tyrd i gael te bach. Ma gen i gacen ffenest i ti,' galwodd Rhian o'r gegin yng nghefn y tŷ yn Victoria Park Road. 'Rwyt ti wedi cael digon o deledu pnawn 'ma.'

Ond ni ddaeth unrhyw ymateb o'r stafell ffrynt.

'Beth! Tyrd plis.' Ni ddaeth unrhyw smic yn ôl. 'Beth, dwi ddim yn dweud eto!' roedd llais Rhian dipyn mwy blin erbyn hyn. 'Does gen i ddim amser i chwarae cuddio, tyrd,' meddai gan gamu i mewn i'r ystafell. Roedd y ffilm gartŵn yn dal yn chwarae oddi ar Netflix. 'Ble wyt ti y mwrddrwg bach?' ychwanegodd yn chwareus, wrth edrych tu ôl y soffa a thu ôl i'r llenni trwchus ar y ffenestr fwa fawr. Ond doedd dim golwg o Beth.

'Beth? Wyt ti i fyny grisiau? Wyt ti'n gwisgo fyny eto? Paid â defnyddio fy lipstic i'r tro yma neu gwae ti,' meddai wrth ddringo'r grisiau. 'Wedi dy ddal di,' meddai gan chwerthin wrth agor drws ei stafell wely ar wib. Ond doedd Beth ddim yno. Aeth i lawr uchaf y tŷ ac i stafell Beth, honno'n wag hefyd. Erbyn hyn teimlai ei cheg yn sychu a gwres ei chorff yn codi, curai ei chalon yn gyflymach. Yn reddfol bellach gwyddai fod rhywbeth o'i le. Roedd rhywbeth mawr o'i le.

'Beth!' sgrechiodd ei henw drwy'r tŷ a gwibiodd drwy bob ystafell nes bod y drysau'n clecian ymhob man. Chwiliodd dan bob gwely, ym mhob wardrob a hyd yn oed yn y twll dan grisiau. Doedd Beth ddim i'w gweld yn unman. Rhedodd allan drwy'r drws ffrynt a chroesi'r ffordd ac i mewn i'r parc.

'Beth!' gwaeddodd ar dop ei llais, nes bod enw ei merch fach yn diasbedain ar hyd y stryd a thrwy frigau deiliog pob coeden yn y parc, 'Beeeeth!' sgrechiodd drachefn. Ond ddaeth yr un ateb yn ôl.

'Be sy'n bod?' holodd gwraig ganol oed oedd yn eistedd ar fainc gerllaw.

'Dwi'n methu ffeindio fy merch fach saith oed,' meddai'n wylofus. 'Beeeeth!' gwaeddodd eto.

'Pryd welsoch chi hi ddwetha?'

'Dwn i ddim, ryw hanner awr yn ôl,' atebodd yn ddryslyd. 'Fydd hi'n iawn? Fydd hi? Dudwch wrtha i y bydd hi'n iawn.'

'Bydd siŵr, mi ddaw i'r golwg.'

Estynnodd Rhian ei ffôn, deialodd. 'Tom… gwranda… dim ots gen i am dy blydi cyfarfod di, mae Beth ar goll. Roedd hi'n gwylio ffilm tra bo fi yn y gegin yn gwneud te bach… nag o'n Tom, do'n i ddim… dwi wedi chwilio'r tŷ, a'r parc a dwi'n methu ffeindio hi.' Prin y gallai Tom ei deall hi bellach. 'Yr heddlu? Ok… ond plis tyrd adra.'

* * *

'Dwi wedi blino,' cyhoeddodd Beth.

Doedd hynny ddim yn syndod yng ngolwg Iorwerth.

'Blino, blino, hen blant bach,' lled ganodd Iorwerth, 'gwely, gwely, gwely, hen blant bach.'

'Ond mae'n rhaid i ni ffeindio Mursen Tomos gynta.'

Wyddai Iorwerth ddim sut i ymateb.

* * *

Ymhen ychydig funudau roedd BMW Tom yn gwibio ar hyd Heol y Bont-faen heb falio dim am na chyflymder nac am y twmpathau arafu traffig. Roedd y gofal arferol am y BMW gwerthfawr wedi diflannu. Parciodd yn gwbl ddifalio wrth giât y parc. Doedd yr heddlu ddim wedi cyrraedd ac roedd Rhian yn dal yn troedio llwybr y parc, yn ôl a blaen a'r cymydog yn ceisio ei chysuro a'i thywys i'r tŷ.

'Lle mae'r heddlu?'

'Ar eu ffordd,' atebodd Mrs. Morgan ar ran Rhian.

'Maen nhw'n blydi cymryd eu hamser. Lle gallai hi fod wedi mynd?' taflodd y geiriau i ryw wagle rhyngddynt, heb ddisgwyl ateb.

'Dwi wedi ffonio Kate a Donna rhag ofn ei bod hi wedi ffeindio'i ffordd at Els a Connor.'

'Wel fasa hi ddim wedi medru mynd mor bell â hynny, siŵr Dduw.'

'Dwi ddim yn gwybod, Tom.'

Doedd Tom ddim yn disgwyl am ateb ac erbyn hyn roedd ar y ffôn.

'Rich, mae Beth ar goll... fedri di ddod i chwilio amdani... God! Rich, dwi'n *serious*! Mae Beth ar goll, gollwng pob dim a tyrd... Ydw, *deadly serious*...'

'Fedri di ddim mynd i chwilio, 'dan ni angen siarad efo'r heddlu.'

'*Try stopping me*! Fedri di siarad efo'r glas. Yn dy ofal di oedd hi, felly gei di egluro be ddigwyddodd. A beth bynnag, fyddan nhw ddim yn dechrau chwilio am oria. Falla bydd 'na ryw blydi *paedo* wedi cael gafael arni erbyn hynny.'

'Tom, paid â dweud hynny.'

'Wyt ti'n sylweddoli be sy wedi digwydd? Neu wyt ti ar y blydi gwin eto?'

'Nac ydw!' Roedd llygaid Rhian yn fflachio.

'Ok 'ta. Gad i mi fynd i chwilio, a siarada di efo'r heddlu.'

'Mi ddown ni o hyd iddi, yn down Tom?'

Ar hynny daeth car yr heddlu i ben y stryd.

'Dwi'n mynd. Dweud wrth Rich bo fi wedi mynd i gyfeiriad Clive Road. Deud wrtho fo am ffonio fi.'

* * *

Roedd Bethan wedi bod yn chwilio am dros awr a doedd 'na ddim golwg o Iorwerth. Bellach, roedd gobeithion Bethan yn diflannu bob eiliad. Gallai ddeall petai Iorwerth wedi mynd i gyfeiriad y siopau, neu i grwydro'r strydoedd gerllaw, ond roedd yr ymchwil yn y llefydd disgwyliedig i gyd yn hesb. Penderfynodd fod rhaid iddi gael siarad efo Greta. Byddai hi'n siŵr o wybod beth i'w wneud. Eisteddodd ar fainc mewn cysgodfan bysus ac estyn am ei ffôn. Edrychodd ar enw Greta ar dudalen ffefrynnau ffonio. Roedd ei bys yn hofran uwchben yr enw ond ni allai yn ei byw bwyso'i bys ar yr enw. Wyddai hi ddim beth i'w ddweud. Tybed a ddylai ddechrau drwy ymddiheuro, neu ai gwell fyddai tywallt ei gofid am ei thad, neu tybed a ddylai hi gadw'r ffôn. Doedd yr un ateb ddim yn rhwydd. Rhoddodd y ffôn yn ôl yn ei phoced. Cododd a chychwyn ar y chwilio unwaith eto.

* * *

'Fedrwn ni fynd adra rŵan? Dwi wedi blino,' meddai Beth wrth iddi hi a Iorwerth groesi caeau Llandaf. Wyddai Iorwerth ddim sut oedd ei hateb oherwydd nad oedd ganddo unrhyw syniad ymhle roedden nhw. Doedd o dim yn cofio gweld caeau mor fawr yn y ddinas o'r blaen, na chymaint o goed ychwaith.

'Beth sy'n fan acw?' meddai Iorwerth gan bwyntio at barc chwarae ym mhen pella'r cae.

Goleuodd wyneb Beth wrth weld y parc.

'Tybed ydi Mursen Tomos yn y parc? Mae hi'n hoffi dringo i fyny'r sleid, ac mae hi'n hoffi eistedd ar fy nglin i ar y swings. A dwi'n siŵr bod na rowndabowt... tyrd, ras at y parc,' ac i ffwrdd â hi fel gwennol i gyfeiriad y parc, ei holl egni wedi ei adfer. Dilynodd Iorwerth hi'n llesg ac ansicr iawn ei gam.

'Eich wyres fach chi?' holodd mam oedd yn eistedd ar y fainc yn y parc yn gwylio ei bachgen bach yn dringo'r ffrâm ddringo.

'Na, fy merch i,' atebodd Iorwerth yn bendant.

Edrychodd y fam yn rhyfedd arno.

'Eich merch?'

'Ia, Bethan!'

'Faint ydi hi rŵan?

Edrychodd Iorwerth arni, roedd ei feddwl yn gwibio, gwenodd arni, ''Run oed â bawd ei throed a chydig hŷn na'i dannedd,' adroddodd yn smala.

Ni wyddai'r wraig sut i ymateb, 'Guto! Tyrd rŵan, amser mynd adra.'

'O Mam! Pum munud bach arall, plis.'

'Na, rhaid i ni fynd rŵan. Hwyl i chi,' meddai wrth Iorwerth gan hanner llusgo Guto allan o'r parc.

* * *

Roedd Rhian wedi treulio cryn amser efo'r heddlu yn y tŷ, a hwythau yn gofyn cwestiynau digon chwithig iddi amdani hi ac am Tom. Doedd hi ddim yn deall yn iawn sut roedden nhw'n berthnasol oherwydd darganfod Beth oedd y flaenoriaeth. Daeth o hyd i luniau ohoni, a hithau'n gwisgo'r union ddillad oedd amdani heddiw, dyngarîs pinc efo lluniau cangarŵ. Roedd wedi dweud ei bod hi'n ferch fach siaradus a'i bod hi'n poeni'n arw am ei chath fach. Doedd honno ddim i'w gweld yn unman y bore hwnnw. Ond er iddi gynnig enw'r gath a disgrifiad ohoni, prin oedd y diddordeb yn Mursen Tomos. Ymhen hir a hwyr roedden nhw'n hapus bod digon o wybodaeth ganddyn nhw.

'Pryd fyddwch chi'n dechrau chwilio?' holodd Rhian.

'Bydd rhaid mynd yn ôl i'r orsaf i ddechrau gwneud y trefniada,' meddai'r heddwas yn hamddenol, 'ond bydd neges yn mynd allan i'r plismyn sydd ar hyd y ddinas ar hyn o bryd ac i'r hofrennydd. Wedyn, ymhen ryw ddwy awr dylen ni fod yn barod i chwilio'n fwy trylwyr.'

'Dwy awr? Fe alla pethau ofnadwy ddigwydd iddi mewn dwy awr.'

'Peidiwch â mynd o flaen gofid rŵan.'

Yn y cyfamser roedd Tom yn rhedeg ar hyd y lle fel dyn gwyllt. Roedd yn mynd at bawb a welai ar y stryd ac yn eu holi.

'Ydach chi wedi gweld 'y merch fach i? Beth, mae hi'n saith oed, gwallt coch cyrliog ganddi yn gwisgo dyngarîs efo llun cangarŵ arno. Falla bod ganddi gath ddu a gwyn hefo hi?'

Roedd rhai yn ofni rhoi ateb iddo, gan mor daer oedd ei holi. Roedd eraill yn codi'u ysgwyddau, eraill yn ysgwyd pen. Ond doedd neb wedi gweld Beth.

'Merch fach gwallt coch, roedd hi'n chwilio am ei chath...' meddai un hen wraig ddigon ffwndrus yr olwg.

'Pryd welsoch chi hi, yn lle?'

'Roedden nhw'n mynd ffordd acw,' meddai gan bwyntio i fyny Conybeare Road.

'Nhw?' holodd Tom a thôn ei lais yn newid.

'Roedd 'na ddyn efo hi.'

'Dyn? Sut ddyn?'

'Tua saith deg falla, yn gafael yn dynn yn ei llaw hi.'

'Sut un oedd o?'

'Wnes i ddim sylwi llawer, gwallt wedi teneuo, efo un cudyn wedi ei dynnu dros ei dalcen moel, sbectol dwi'n meddwl... o ia, a mwstásh! Mwstásh bach.'

'Pryd oedd hyn?'

'Ryw hanner awr, dri chwarter yn ôl.'

'Ac i ble yr aethon nhw?'

'Wn i ddim.'

'Triwch gofio, mae'r dyn 'ma wedi mynd â 'merch fach i a dwi isio gwybod i ble mae o wedi mynd â hi. Chi ydi'r unig un sydd wedi eu gweld nhw.'

'Dwi ddim yn meddwl bod o wedi cipio eich hogan bach chi. Hi oedd yn mynd â fo i rywle...'

'Peidiwch â rwdlan ddynas. Roedden nhw yn mynd i fyny Conybeare Road oedden nhw? Lle wedyn?'

'Wn i ddim.'

'Sori, ond dwi'n poeni am Beth...'

'Dwi'n siŵr, ond pan welais i hi, roedd hi fel y boi.'

Roedd clywed hynny'n gymorth i Tom, estynnodd ei ffôn, 'Oes modd cael eich enw chi a rhif ffôn rhag ofn y cofiwch chi rywbeth gwahanol.'

'Wrth gwrs bod hynny'n iawn. Elisabeth Morgan, dwi'n byw yn fan yna yn fflat rhif chwech. Gobeithio y dowch chi o hyd iddi yn fuan. Gwrandwch, pan gyrhaeddwch chi Pencisely Road holwch Anne yn y tŷ cynta ar y dde, mae hi yn ffenest ffrynt drwy'r dydd. Fedar hi ddim symud 'dach chi'n gweld, mae hi wrth ei bodd yn gwylio pobl yn pasio. Os buon nhw ar Pencisley bydd Ann yn gwybod.

'Diolch,' meddai Tom gan gychwyn cerdded i fyny'r ffordd a'r ffôn yn ei law, 'Rich, tyd i Pencisley, croesffordd efo

Coneybeare Road, ryw hen ddynas wedi gweld Beth efo ryw ddyn, brysia.'

Rhedodd Tom i ben y stryd, ei lygaid yn gwibio chwilio ffenestri tai ar Pencisley. O'r diwedd fe welodd Anne yn eistedd yn y ffenestr yn union fel y dywedodd Elisabeth wrtho. Curodd y drws, ond nid oedd neb yn ateb. Curodd y drws eto'n galetach ac yn daerach. Agorwyd y drws gan ferch yn gwisgo oferôls gofalwraig.

'Oes modd cael gair efo Anne plis?'

'Pwy ydach chi?'

'Dwi'n chwilio am fy merch fach i, mae hi ar goll. Tybed ydi Anne wedi ei gweld hi'n pasio?'

'Arhoswch am eiliad, mi af i ofyn.'

'Does gen i ddim amser...'

Ond roedd y drws wedi ei gau yn ei wyneb. Drwy'r ffenestr gwelodd Tom y ferch yn siarad ag Anne. Gwelodd hi'n dychwelyd i gyfeiriad y drws.

'Sut un ydi'ch merch chi?' holodd yr ofalwraig.

'Does gen i ddim amser i hyn,' meddai Tom gan wthio'i ffordd heibio'r ofalwraig.

'Hei, does ganddoch chi ddim hawl i...'

'Does gen i ddim hawl nag oes, ond mae'n merch fach i wedi ei chipio gan ryw ddyn dieithr a dwi angen dod o hyd iddi.' Erbyn hyn roedd o yn y stafell efo Anne a golwg wedi dychryn ar ei hwyneb, 'Sori, ond mae'n hogan bach... mae hi'n saith oed mewn dyngarîs pinc...'

'A dyn mewn oed efo hi, yn gafael yn sownd yn ei llaw hi.'

''Dach chi wedi'u gweld nhw?'

'Do, daethon nhw i fyny Coneybeare Road a chroesi'r ffordd a mynd i gyfeiriad Penhill.'

'Pryd?'

'Ryw dri chwarter awr, neu awr efalla.'

'Diolch.'

'Gobeithio cewch chi hyd iddi.'

Ond erbyn hynny roedd Tom ar Heol Pencisley ac yn gwibio i gyfeiriad Penhill.

* * *

Edrychodd Bethan ar ei ffôn unwaith eto, ei bys yn hongian yn llipa uwchben enw Greta. Pwysodd yr enw, newidiodd y sgrin yn syth, ac ymhen ychydig eiliadau roedd y ffôn yn canu. Ond wnaeth Greta ddim ateb. Wyddai Bethan ddim beth i'w wneud, gadael iddi ganu'n ddi-stop, diffodd y ffôn a cheisio cysylltu eto ymhen ryw hanner awr, neu roi'r gorau i drio.

'Bethan?' daeth llais Greta yn ansicr o ben arall y lein.

'Greta...' atebodd Bethan, heb wybod yn iawn beth i'w ddweud nesa.

'Ti'n iawn?'

'Nac ydw...' roedd ar fin ymddiheuro.

'Be sy'n bod? Oes 'na rywbeth wedi digwydd?'

'Oes,' atebodd a'r dagrau yn amlwg yn ei llais bellach, 'dwi wedi bod yn stiwpid...'

'Be sy'n bod?'

'Mi wnes i adael Dad ar ei ben ei hun am hanner awr. Roedd rhaid i mi oherwydd gwaith, a phan ddois i'n ôl roedd drws ffrynt yn llydan agored a dim golwg ohono fo. Fasa hyn ddim wedi digwydd taswn i ddim wedi bod mor stiwpid a dweud wrthat ti am fynd i Berllan Bella. Greta, dwi mor sori... ond rŵan dwi ddim yn gwybod be i'w wneud.'

'Ti wedi chwilio'r llefydd mae o wedi arfer mynd iddyn nhw efo ni?'

'Do, ac mae cymdogion wedi helpu.'

'Reit, mi fydd rhaid dweud wrth yr heddlu, dos di i ddweud wrthyn nhw ac mi ddo i a Mam a Dad i lawr. Mi fyddan ni yna cyn diwedd pnawn. Mi ddown ni o hyd iddo fo, fedar o ddim bod yn bell.'

'Sori Greta...'

'Anghofia hynny rŵan, dod o hyd i Yncl Iorwerth sy'n bwysig. A Bethan, fi oedd yn stiwpid yn mynd i Berllan Bella...'

* * *

Eisteddodd Iorwerth ar fainc yn y parc yn syllu ar Beth yn gwibio o un peth i'r llall, fel petai yn methu penderfynu p'run oedd ei ffefryn. Daeth i lawr y sleid ar ei bol gan chwerthin dros y lle. Dringodd y ffrâm ddringo fel gafr fach. Pan gyrhaeddodd y siglen, edrychodd i gyfeiriad Iorwerth heb ddweud gair. Edrychodd Iorwerth arni hithau. Cododd ar ei draed a sefyll yn ufudd tu ôl iddi a'i gwthio'n ysgafn.

'Mwy,' meddai, 'yn uwch.'

'Cymer ofal, a gafael yn dynn.'

Gwelodd Iorwerth ei dyrnau bach yn gwynnu wrth iddi gydio yn y ddwy gadwyn â'i holl nerth. Gwthiodd hi'n bellach a chododd hithau ei thraed wrth gyrraedd anterth y siglen. Chwarddodd a'i gwallt coch yn disgleirio yn yr haul. Gwenodd Iorwerth, dyma oedd nefoedd, ailddarganfod Bethan fel hyn.

* * *

'Ydach chi wedi gweld fy hogan bach i, tua saith oed, gwallt coch a dyngarîs pinc, bosib efo dyn mewn oed efo

184

sbectol a mwstásh?' Roedd 'na frys gwyllt yn llais Tom a rhwystredigaeth wrth gael atebion digon swrth gan amryw. Bellach roedd wedi cyrraedd Penhill ac wedi cerdded i lawr cyn belled â Conway Road gyferbyn â chaeau Llandaf. Roedd o ar un ochr i'r ffordd a Rich yr ochr arall. Âi neb heibio iddynt heb glywed eu neges.

'Tom, Tom, tyrd yma!' gwaeddodd Rich â rhyw egni yn ei alwad. Roedd o'n siarad efo gwraig a hogyn bach tua pump oed yn cydio yn ei llaw. Gwibiodd Tom ar draws y ffordd heb falio am y car oedd yn dod i fyny o gyfeiriad y dref. Canodd y gyrrwr ei gorn yn ffyrnig gan godi bys arno. Cododd Tom ei fys yntau arno yn ôl.

'Mae'r ledi yma wedi'u gweld nhw.'

'Yn lle? Be oedden nhw yn wneud? Pryd?'

'Ryw ddeg munud yn ôl.'

'Oedd Beth yn iawn?'

'Oedd yn hapus fel y gog.'

'Yn lle?'

'Y lle chwarae, ym mhen draw'r parc. Roedd y dyn efo hi'n ymddwyn yn od, yn dweud mai fo oedd ei thad hi, ond roedd o'n ddigon hen i fod yn daid iddi.'

'Diolch,' meddai Tom ar frys, 'Rich, tyrd!' a rhedodd y ddau i gyfeiriad yr adwy i gaeau Llandaf.

* * *

'Dwi wedi cael digon rŵan,' cyhoeddodd Beth, a heb ddisgwyl i'r siglen arafu neidiodd oddi arni a syrthio.

'Bethan bach, bydd yn ofalus,' meddai Iorwerth gan benlinio wrth ei hochr.

'Aw, dwi wedi brifo,' meddai gan feichio crio a rowlio coes

ei throwsus at ei phen glin yr un pryd. Roedd mymryn o waed yn casglu yno. Cydiodd Iorwerth ynddi a'i gosod ar ei lin, estynnodd ei hances a'i rhoi ar ei phen glin.

'Chwythu arno fo i'w wneud o'n well,' meddai gan chwythu'n swnllyd ar ei phen glin.

'Dydi hynna ddim yn 'i wneud o'n well,' meddai Beth, ei dagrau eisoes wedi mynd yn angof.

'Ydi siŵr,' meddai Iorwerth gan roi ei phen glin yng nghwpan ei ddwy law a chwythu nes bod ei wyneb yn biws. Dechreuodd Beth chwerthin, a chwarddodd Iorwerth hefyd gan redeg ei law drwy ei gwallt coch sgleiniog.

'Cadw dy facha budur oddi ar fy hogan bach i, y blydi *perv*!' gwaeddodd Tom wrth neidio dros ffens y lle chwarae.

'Dadi,' meddai Beth, 'dwi wedi syrthio oddi ar y swing.'

Roedd Iorwerth yn cydio'n dynn yn Beth erbyn hyn.

'Be wyt ti'n feddwl? Fy hogan bach i ydi Bethan,' mynnodd Iorwerth.

'Gollwng hi. Dwi ddim yn gwybod be ydi dy gêm di, ond gollwng hi, rŵan.'

'Dadi … dwi isio mynd at Dadi…'

'Ond Bethan, fi ydi dy dad di.'

Erbyn hyn roedd Beth yn gwingo fel sliwen ar lin Iorwerth, a phan gydiodd Tom ynddi gollyngodd Iorwerth ei braich, rhag ei brifo.

'Un peth mae mochyn fel ti yn ei haeddu,' meddai Tom gan syllu ar Iorwerth a'i lygaid yn fflachio, ac ar hynny anelodd gic at Iorwerth a'i daro yn ei ganol. Ochneidiodd Iorwerth gan blygu yn ei hanner nes bod ei sbectol yn hedfan. Sathrodd Tom hi dan ei droed.

'Paid Dadi,' crefodd Beth.

'Dwyt ti ddim yn deall, Beth.'

'Roedd o'n helpu fi chwilio am Mursen Tomos.'

Ond, doedd Tom ddim yn gwrando ac erbyn hyn roedd Rich wedi cyrraedd hefyd. Er bod Beth yn dal yn ei freichiau dechreuodd Tom gicio Iorwerth ac yntau fel pelen ddiymadferth ar lawr.

'Dadi, plis, dwi isio mynd adra,' sgrechiodd Beth, 'dwi isio Mam a dwi isio Mursen Tomos.'

Ar hynny peidiodd y cicio.

'Ti'n haeddu pob dim ti'n gael, y *perv!*' gwaeddodd Tom ar Iorwerth, 'Chei di ddim cipio hogan bach neb byth eto, dallt?' Poerodd ei ddirmyg tuag at y belen o gnawd oedd o dan y siglen. Yna, trodd er ei sawdl a chychwyn oddi yno.

Heddiw...

Roedd aroglau ysbyty yn aroglau sur, annymunol ym meddwl Bethan. Roedd arogli'r cymysgedd o ddeunydd glanhau, starts y dillad gwely a chynnwys ambell botel piso yn ddigon i godi cyfog arni. Curai peiriant y galon ei ddrwm undonog, tra syllai Bethan ar batrwm gwyrdd-lwyd y teils ar y llawr. Edrychodd ar ei thad, prin y gallai ei adnabod, roedd ei wyneb yn ddu las, ei lygaid wedi eu cau gan chwydd ei aeliau a'i fochau. Roedd olion gwaed yn dal ar ei ffroenau, ond ni symudai fys. Ochneidiodd Bethan eto.

'Ti isio mynd am baned? Mi arhosa i,' meddai Greta.

'Na, gwell gen i aros. A fasa waeth i mi ddŵr golchi llestri mwy na phaned o'r peiriant 'na.'

'Ti isio mynd am dro i gael awyr iach? Mae hi'n sobr o glos yma.'

'Na.'

Ym mhellter rhyw goridor daeth sŵn troli gwichlyd yn llusgo'i ffordd o wely i wely,

Roedd nyrs a'i sgidiau fflat yn clompian ar hyd rhyw lwybr pell i unman, drws yn clecian, a chwynai'r gwynt yn dawel wrth y ffenestr.

'Be oedd yn bod arno fo'n mynd â'r hogan bach 'na fel yna?' ffrwydrodd y cwestiwn o enau Bethan.

'Doedd o ddim yn sylweddoli be oedd o'n wneud, siŵr. Bethan oedd ei henw hi medda'r heddlu, gwallt coch ganddi.

Synnwn i fwnci nad oedd o'n meddwl mai ti oedd hi. Ti'n gwybod sut mae o.'

'Ond mynd â phlentyn bach.'

'Ond wnaeth o ddim byd iddi, yn naddo?'

'Mae'r heddlu wedi gofyn os dwi eisiau dod ag achos yn erbyn y tad.'

'Be ddwedest ti?'

'Be wyt ti'n feddwl? Sut gallwn i?'

'Ond doedd Yncl Iorwerth ddim yn haeddu cael ei drin fel hynna. Mi alla fod wedi ei ladd o. A 'dan ni ddim yn siŵr sut bydd o pan ddaw o trwyddi.'

Edrychodd y ddwy yn llygaid ei gilydd, a mynd yn fud. Gwyddai'r ddwy fod cyflwr Iorwerth yn ddifrifol, ond doedden nhw ddim wedi rhoi geiriau i'w hofnau gwaethaf. Roedd peiriant trydanol yn canu grwndi rhywle tu allan i'r drws, tra bod sodlau uchel rhyw ymwelydd yn clip clopian eu ffordd i gyfeiriad pen pella'r ward. Daeth gwich ryfedd i anadl Iorwerth a throdd y ddwy i edrych arno, ond heb allu dweud dim. Roedd Greta'n cyfri'r eiliadau a gymerai Iorwerth i anadlu, dwy eiliad i mewn a thair eiliad yn ei ollwng, sylwodd ei fod yn oedi am hanner eiliad rhwng cymryd ei anadl a'i ollwng. Gwyliodd ei frest yn codi ac yn gostwng, roedd 'na swyn yn y cyfri, rhyw ddiogelwch. Daeth sŵn sydyn o dan y dillad gwely, sŵn gollwng gwynt a dyma'r ddwy yn piffian chwerthin.

'Doctor, doctor, pigyn yn fy ochor,' medda'r ddwy fel côr adrodd.

'Well gen i...' daeth geiriau aneglur o gyfeiriad Iorwerth.

Syllodd y ddwy yn gegrwth, yn methu credu eu clustiau.

'Nhad?'

'... roi pwmp... o rech...'

'Na talu chwech i'r doctor,' ychwanegodd Greta.

Cydiodd Bethan yn llaw ei thad ac edrych ar Greta gan wenu. Ceisiodd Iorwerth wneud sŵn torri gwynt efo'i wefusau a chwarddodd y ddwy.

Echdoe...

Curodd Iorwerth ar ddrws wedi ei wneud o'r haen deneua posib o lwyfen.

'Mewn.'

Camodd Iorwerth dros y trothwy i ystafell fawr foethus Mr. Evans. Syllodd yntau arno ar draws desg cyn lleted ag un o gaeau Tyddyn Bach.

'Iorwerth, cydymdeimlad dwys efo chi yn eich profedigaeth. Oeddech chi'n agos?' Ei iaith stacato yn merwino'r glust.

'Yn agos iawn, Mr. Evans.'

'Pawb yn iawn efo chi? Ym... Bethan a... a...'

'Margaret.'

'Ia, wrth gwrs, Margaret.'

'Ydyn, diolch.'

'Be gaf i wneud i chi Iorwerth?' meddai gan estyn ei gwpan goffi.

'Dwi isio gadael,' atebodd Iorwerth yn ei lais pendant newydd sbon.

'Gadael, Iorwerth? I ble 'dach chi'n mynd?' Roedd ei bwyslais ar chi yn ddigon i godi gwrychyn y mwyaf hamddenol o ddynion.

'Dwi am adael dysgu, a rydw i am fynd i ffermio.'

'Ffermio? Be wyddoch chi am ffermio, Iorwerth? Gadael swydd ddiogel, efo pensiwn, er mwyn ffermio ryw ychydig erwau?'

'A mwynhau gwneud hynny.'

'Ydi... ym...'

'Margaret.'

'Ydi Margaret yn gwybod am hyn?'

'Ydi.'

'Rydw i'n cymryd mai sôn am yr haf nesa ydan ni, nid ar chwarae bach mae cael pennaeth newydd i'r adran hanes.'

'Hanner tymor, brifathro.'

'Hanner tymor, ond ychydig wythnosa ydi hynny.'

'Digon o amser i hysbysebu a phenodi, ddwedwn i.'

'Ond beth am eich disgyblion? Os nad oes gennych chi deyrngarwch i'r ysgol ac i mi, beth am eich teyrngarwch i'r disgyblion?'

'Ma' nhw yn fwy nag abl i ddelio efo'r cyfan.'

'Ydych chi'n sylweddoli difrifoldeb eich penderfyniad? Mae dyfodol y disgyblion yma yn eich dwylo chi, eu gobaith o fynd i brifysgol, yr allweddi i ddyfodol llewyrchus, a chitha yn codi pac yn ddifalio a'u gadael.'

'Ddim yn ddifalio, brifathro, a rydw i'n sicr y byddwch chi'n fwy nag abl i lenwi'r bwlch.'

Heddiw...

'Iorwerth Jones?' roedd y gŵr ifanc yn sefyll wrth ddrws yr ystafell yn yr ysbyty.

'Ie, Iorwerth Jones,' atebodd Bethan.

'Lionel Road?'

'Dyna chi.'

'Sut ydach chi? Ifan Morris, gweithiwr cymdeithasol yn yr ysbyty,' meddai gan estyn ei law i Bethan.

'Bethan, ei ferch. A dyma Greta fy mhartner.'

Roedd wyneb Iorwerth yn parhau yn ddu las er bod wythnos ers y digwyddiad.

'Mr. Jones...' dechreuodd Ifan ei gyfarchiad, ond tawodd yn sydyn. Syllodd ar wyneb Iorwerth, ei geg yn agored a'i law wedi ei hestyn i ysgwyd llaw.

'Mr. Jones History, rargian fawr, wnes i ddim eich nabod chi, Jones History.'

Agorodd Iorwerth ei lygaid ac edrych ar wyneb Ifan.

'Ifan Morris, rown i yn eich dosbarth chi ers talwm.'

'Ifan Morris?'

'Mae'r cof wedi mynd, Ifan,' ymddiheurodd Bethan.

'Ond mae'n syndod faint mae pobl yn ei gyflwr o yn ei gofio,' ymatebodd Ifan. 'Mae fel petai rhai petha wedi dal gafael, yn enwedig petha o'r gorffennol pell.'

Roedd Ifan wedi astudio hanes i lefel A gydag Iorwerth cyn mynd i Fangor i astudio cymdeithaseg. Ond gan ei fod dipyn yn hŷn na Bethan, ni allai ei chofio hi o gwbl. Roedd o bellach yn byw yng Nghaerdydd ac yn dad i ddau o fechgyn bach. Rhannai ei hanes yn afradlon ac roedd llif ei eiriau fel pwll y môr. Syllai Iorwerth arno'n syn a gallai Bethan weld meddwl ei thad yn ceisio rhoi trefn ar yr hen atgofion am y chweched dosbarth.

'Rown i 'run flwyddyn â Carys Huws, Carys... gwallt melyn hir ganddi, *mermaid* – achos bod hi'n gwneud ei gwallt drwy'r amser, cofio?'

'Carys? *Mermaid*? Ia siŵr,' ymatebodd Iorwerth, heb gofio dim.

'A wedyn dyna Rhian, Rhian Glanrafon, roedd hi'n canu drwy'r dydd, bob dydd.'

'Ie,' ochneidiodd Iorwerth.

'Roeddech chi'n dysgu fy nghefnder, Gwynfor hefyd. Gadawoch chi pan oedd o yn ei flwyddyn ola. Arnoch chi roedd y bai nad aeth o i'r coleg, medda fo, unrhyw esgus ddweda i.'

Nid oedd unrhyw ymateb yn wyneb Iorwerth.

'Gwynfor?' ymatebodd Bethan, 'Glan Ffrwd?'

'Ia, cyn i Arwyn... fuodd rhaid iddyn nhw adael Glan Ffrwd wedyn, symud i'r dre. Rydach chi'n edrych yn syndod o dda, o ystyried popeth, Mr. Jones,' dychwelodd sylw Ifan at Iorwerth, 'Sut 'dach chi'n teimlo erbyn hyn?'

'Fel cneuen,' roedd yr ateb fel ergyd o wn.

'Ydach chi wedi setlo yng Nghaerdydd, Mr. Jones?'

'Dwi rioed 'di bod yng Nghaerdydd.'

'Sut 'dach chi'n lecio byw efo Bethan a Greta, Mr. Jones?'

'Lle mae Bethan wedi mynd rŵan eto? Does wybod lle yr aiff yr hogan 'na.'

'Be ydi'ch cyfeiriad chi, Mr. Jones?'

'Be?'

'Lle 'dach chi'n byw?'

"Tyddyn Bach, ynde Margaret?'

'Dwi'n gweld. Pa ddiwrnod ydi hi, Mr. Jones?'

'Diwrnod ar ôl ddoe a diwrnod cyn fory.'

'A phwy ydi'r prif weinidog ar hyn o bryd?'

Gwenodd Iorwerth a goleuodd ei lygaid, 'Lloyd George, Benjamin Disraeli neu William Pitt... *take your pick*!'

'Cwestiwn gwirion i athro hanes,' trodd at Bethan. 'Fasa well i ni gael sgwrs ar wahân?'

'Na, gwell gen i siarad a 'Nhad yn clywed,' oedd ateb swta Bethan.

'Ydach chi'n siŵr? Mae pobl yn ei gyflwr o'n gallu poeni a phryderu fel pawb ohonon ni.'

'Ond mae o'n haeddu cael bod yn rhan o'r drafodaeth.'

'Wyt ti'n siŵr?' ymunodd Greta, ''Dan ni ddim isio achosi mwy o boen meddwl i dy dad.'

'Na, dwi ddim yn ei gau o allan o ddim byd.'

'Os ydach chi'n siŵr?' ychwanegodd Ifan.

'Yn bendant,' meddai Bethan a'i llygaid yn fflachio.

Felly gydag Iorwerth yn syllu'n syn cyflwynodd Ifan y posibiliadau i'r ddwy. Nid dewisiadau dieithr mohonyn nhw, ond cysgodion oedd wedi bod yn hongian uwch eu pennau ers colli Margaret. Gallen nhw barhau fel cynt, ond oherwydd y digwyddiadau gyda'r ferch fach, byddai rhaid cynnal asesiad o'u trefniadau ac o'u gofal. Roedd dewis arall sef sicrhau gofal dydd awdurdodedig i Iorwerth, neu gellid sicrhau lle iddo mewn cartref preswyl.

'Ddylwn i ddim dweud,' ychwanegodd Ifan yn swil, 'ond gan ein bod ni newydd sôn amdano fo, mae fy nghefnder, Gwynfor, newydd agor cartref i bobl â dementia 'nôl adref.

Wn i ddim a ydach chi wedi meddwl am gartref felly i Mr. Jones.'

'Na, dydan ni ddim,' meddai Bethan wrth i ambell ddeigryn ddechrau ymgasglu yn ei llygaid.

'Ble mae cartref Gwynfor?' holodd Greta.

'Mae o wedi codi adeilad pwrpasol, ddim yn Llainhelyg ond ar y cyrion. Mi fydda fo mewn ardal mae o'n ei hadnabod wedyn.'

'Ond dydi o ddim yn cofio dim byd,' meddai Bethan yn amddiffynnol.

'Dyna 'dan ni'n gymryd yn ganiataol. Holwch o am daith mae o wedi hen arfer ei gwneud ac efallai y cewch eich synnu.'

Dŵr ar gefn hwyaden oedd holl eiriau Ifan i Bethan, felly Greta fentrodd ofyn, 'Yncl Iorwerth tasach chi eisiau dreifio'r Ffyrgi bach o Dyddyn Bach i Berllan Bella, pa ffordd fasach chi'n mynd?'

'Faswn i ddim siŵr.'

'Byddech siŵr.'

'Chdi fydda'n dreifio, Margaret, nid fi, ac mi fyddat ti'n gyrru hefyd.'

'Ond pa ffordd faswn i'n mynd?'

'Heibio Tyddyn Mawr, a wedyn troi i'r chwith wrth ymyl y capel ac i'r dde wrth ymyl y bocs postio ac mae Berllan Bella ar y chwith. Pam wyt ti'n gofyn, rwyt ti'n gwybod y ffordd yno, siawns?' Oedodd gan ddisgwyl ateb. Yna ychwanegodd 'Pa ddiwrnod ydi hi heddiw?' fel petai am lenwi'r gwacter.

'Mae lle cyfarwydd yn bwysicach nag y tybiwch i rywun sydd â dementia,' ychwanegodd Ifan.

''Dach chi'n dweud bod ni wedi gwneud cam â 'Nhad yn dod â fo i Gaerdydd felly,' ymatebodd Bethan yn hynod bigog.

'Na, mae pawb yn gorfod gwneud penderfyniada anodd ar adega. Mae cael gweld pobl gyfarwydd yr un mor bwysig â chael lle cyfarwydd. Wyddon ni ddim pa un sydd bwysica, mae o'n gyflwr cymhleth iawn.'

'Ond bydd rhaid i ni benderfynu yn fuan, dyna 'dach chi'n ddweud?' holodd Greta.

'Bydd, mae'r meddygon bron yn barod i ryddhau Mr. Jones, felly bydd angen trefniada yn eu lle yn fuan iawn.'

''Nhad!' gafaelodd Bethan yn nwy law ei thad a syllu yn ei wyneb. Syllodd yntau yn ôl a gwenu, 'Ydach chi eisia byw efo ni yng Nghaerdydd, neu ydach chi eisia mynd yn ôl i Lainhelyg?'

'Pa ddiwrnod ydi hi?'

''Nhad! 'Dan ni angen i chi ddeall hyn, mae'r doctoriaid isio gwybod.'

'Doctor doctor, pigyn yn fy ochor...'

'Ia, 'Nhad, ond...'

'Well gen i roi pwmp o rech, na talu chwech i'r doctor.'

Daeth pwff o chwerthin o gyfeiriad Ifan.

'Digon hawdd i ti chwerthin, dwi'n trio ymresymu fan hyn.'

'Mae'n ddrwg gen i, ond mae meddwl am Jones History yn adrodd y pennill yna...'

Trodd Bethan at ei thad, ''Nhad, mae hyn yn bwysig, ydach chi isio mynd i gartref?'

'Gartref, wel oes siŵr,' ymatebodd yn syth.

Ochneidiodd Bethan a lledodd gwên dros ei wyneb.

'Gartref mae Bethan, ia?' Ceisiodd symud ei ddillad gwely, 'tyrd Margaret, mi awn ni i Dyddyn Bach.'

''Nhad, mae Mam wedi marw a 'dan ni yng Nghaerdydd, triwch ddeall...' gwaeddodd Bethan dros y lle. Trodd Iorwerth ati, edrychodd arni â'i ben yn gam.

'Ddrwg gen i am eich profedigaeth.'

Teimlodd Bethan ddwy law Greta yn mwytho'i dwy ysgwydd. Treiddiai cynhesrwydd ei dwylo drwy ddefnydd tenau'r siwmper, a thoddodd ei gwytnwch dan y tylino ysgafn. Roedd tynerwch yn treiddio drwy flaenau ei bysedd ac ysbryd Bethan yn ymdawelu'n araf unwaith eto.

'Oes modd gweld cartref Gwynfor?' holodd Greta.

'Oes siŵr, mi allwn i drefnu hynny mewn dim o dro.'

'Fyddai hi'n iawn i'm rhieni i fynd i weld y lle?'

'Na,' meddai Bethan yn bendant, 'rhaid i mi ei weld o, a 'Nhad hefyd.'

'Wrth gwrs,' meddai Ifan, 'gall rhieni Greta alw i ddechra, ac yna trefnu i chi fynd i fyny. Bydd y meddygon yn gallu eich cynghori i ddweud a ydi'ch tad yn gallu teithio cyn belled, ar hyn o bryd.'

* * *

Ymhen pum niwrnod roedd y penderfyniad anorfod wedi ei wneud. Gwyddai Bethan a Greta fod y dewis wedi ei ddwyn oddi arnynt, roedd amgylchiadau wedi penderfynu beth fyddai terfyn y stori. Cyfarfu'r ddwy â Gwynfor a hynny yn ei gartref newydd moethus.

'Bethan,' cofleidiodd Gwynfor hi.

'Sut mae dy fam?' meddai Bethan yn gwingo o'i afael

'Wedi ei cholli hi ryw ddwy flynedd yn ôl, canser.'

'Ddrwg gen i glywed,' meddai yn pletio'i breichiau.

'Wnaeth hi 'rioed ddod dros be ddigwyddodd i 'Nhad. Roedd o'n fendith yn y diwedd.'

'Rwyt ti wedi bod yn brysur fel dyn busnas, yn ôl be 'dan ni'n ddarllen ar y we.'

'Trio ennill fy nghrystyn, ac wedi gweld y busnes gofal 'ma fel rhywbeth oedd 'i angen yn yr ardal. Roedd pobl yn gorfod mynd allan o'u cynefin i gael gofal, a doedd hynny ddim yn iawn.'

Aeth ati i draethu'n hir wrthyn nhw am therapi cerdd, am bwysigrwydd ymweld â llefydd cyfarwydd, am ymweliadau gan bobl oedd yn rhannu atgofion a sut y byddai Iorwerth yn medru ymlacio yn ei ystafell ei hun. Byddai hwythau wedyn, wrth ymweld, yn cael mwynhau eu hamser gydag Iorwerth heb y tensiynau anorfod mae pobl yn eu teimlo wrth geisio byw bob dydd gydag anwyliaid sy'n ymddangos yn gynyddol ddieithr iddyn nhw. Daeth y ddwy yn ôl i Gaerdydd yn gymharol fodlon eu bod wedi darganfod lle a fyddai yn gartref i Iorwerth ac yn hawdd i deulu Berllan Bella ymweld yn gyson. Gwyddai'r ddwy fod angen tyrchu yn weddol ddwfn i bensiwn a chynilon Iorwerth er mwyn sicrhau lle da iddo, ond pris bychan oedd hwnnw i'w dalu am dawelwch meddwl. Dyna oedd penderfyniad y ddwy.

Wyth niwrnod wedi ymweliad Ifan Morris felly roedd holl eiddo Iorwerth wedi ei ddychwelyd i'r ddau gês ac i ambell sach blastig ac roedd trwyn y car wedi ei anelu am Lainhelyg. Eisteddai Iorwerth yng nghefn y car, ei ddwylo wedi pletio ar ei arffed, yn syllu ar y byd yn gwibio heibio. Dechreuodd ganu'n dawel iddo'i hun.

'Tasa gen i ful bach a hwnnw'n cau mynd...'

Brathodd Bethan ei gwefus isaf. Gwasgodd lifar y gêr yn dynnach. Llithrodd Greta ei llaw dros ei dwrn, roedd ei llaw yn feddal a chynnes.

'Calon oer, ti'n gweld,' meddai Greta'n chwareus.

'Be?'

'Llaw gynnes.'

Gwenodd Bethan arni.

'Llaw oer, calon gynnes!' meddai'r llais o gefn y car. Chwarddodd y tri ac ymunodd Greta a hyd yn oed Bethan yng nghân y mul bach.

Erbyn y noson honno, roedd ystafell Iorwerth wedi ei threfnu'n ddestlus. Cafwyd cryn drafferth i hongian ambell ddarlun, un o Dyddyn Bach, un o Margaret a Bethan ac un darlun o'i arwr hanesyddol, Harri Tudur. Gosodwyd jwg piwter, oedd yn eiddo i Anti Glad, mewn lle o anrhydedd ar silff a thebot i gofio John Elias o Fôn wrth ei ochr, ynghyd â thair carreg o draeth ym Mhen Llŷn roedd Iorwerth wedi eu casglu a'u bodio am flynyddoedd.

Wedi gosod popeth yn ei le, daeth yn amser i'r ddwy adael. Ond ni wydden nhw sut oedd gwneud hynny. Penderfynwyd cael paned, ac yfwyd y baned mewn mudandod. Penderfynwyd i wylio teledu gyda'i gilydd, a bu gwylio ar gwis gwybodaeth gyffredinol.

'Beth oedd enw Llywelyn ein Llyw Olaf?' holai'r cwis feistr, 'Fe gewch dri dewis, Llywelyn ap Llywelyn, Owain Glyndŵr...'

Chwarddodd Iorwerth.

'Neu Llywelyn ap Gruffydd.'

'Owain Glyndŵr siŵr iawn,' meddai Iorwerth dros y lle a gwên enfawr yn tyfu dros ei wyneb.

'Ydach chi'n siŵr rŵan, Yncl Iorwerth, ydach chi eisiau ailystyried?'

'Be, Margaret?'

'Ydach chi'n siŵr mai Owain Glyndŵr ydi'r ateb?'

'Yr ateb i be?'

'Dim ots, Yncl Iorwerth.'

'Mi fyddwch yn hapus fan hyn, yn byddwch 'Nhad?'

'Fan hyn?'

'Fan hyn fyddwch chi'n byw rŵan.'

'Na, na, yn Nhyddyn Bach dwi'n byw, efo Margaret.'

'Ond mi fedrwch chi aros fan hyn am ychydig bach, ia?' meddai Greta, 'mae gynnoch chi wely braf yma, cyfforddus dros ben,' a thaflodd ei hun wysg ei chefn ar y gwely mawr yng nghanol y stafell.

Syllodd Iorwerth arni cyn gwneud yr un peth ei hun gan chwerthin. Gorweddodd y ddau ochr yn ochr yn syllu ar y nenfwd.

'Os gwelwch chi bentwr, gwnewch o'n fwy,' meddai Bethan ac ymuno â hwy gan hanner glanio ar Greta.

'Ac mae o'n llawer mwy pan fo casgen fawr dew yn ymuno!' meddai honno yn gellweirus.

'Dwi'n 'sgafnach na chdi!'

'O 'dan ni'n sensitif, yn tydan ni!'

''Dan ni'n gwneud y peth iawn?'

'Ydan, dyma sy orau iddo fo, a fo sy bwysica yn hyn, nid dy deimlada di.'

'Haws dweud...'

'... na gwneud,' meddai Iorwerth wrth ei hochr hi.

Chwarddodd Greta wrth droi ac edrych ar Iorwerth. Teimlodd law Bethan yn cydio yn ei llaw a throdd ati. Aeth ias drwyddi wrth weld ei llygaid yn llawn dagrau.

'Be sy'n bod?'

'Greta... dwi wedi penderfynu, fydda i ddim yn dod yn ôl yma eto.'

'Be wyt ti'n feddwl?'

'Dydi o ddim yn gwybod pwy ydw i, Greta, nid 'Nhad sydd yma. Dwi wedi blino trio ei atgoffa fo o bwy ydi o a phwy ydan ni. Dwi'n meddwl ei bod hi'n well iddo fo ac i ninna ystyried fod popeth ar ben. Rown i'n meddwl fod 'na rywbeth ar ôl o hyd, ond does 'na ddim. Ac mae dal gafael yn y cwbl yn boen iddo fo ac yn boen i mi. Heddiw ydi diwrnod ei angladd o. Felly costied a gostio 'dan ni'n mynd i wneud yn siŵr 'i fod o'n cael popeth gora yn fan hyn, fel y bydd o'n ddedwydd ac yn hapus. Ond dwi eisiau i ti dderbyn y swydd 'na yn Efrog Newydd, ac mi awn ni gyda'n gilydd.'

'Ond Bethan...'

'Paid â dweud gair. A na, nid "penderfyniad byrbwyll arall gan Bethan" ydi o. Dwi wedi pwyso a mesur y peth. Dwi wedi poeni am y peth a dwi wedi trio a thrio meddwl sut mae delio efo hyn. Dyna fydd orau i bawb ohonon ni, fedra i ddim gwneud dim byd arall.'

'Does dim rhaid i'r ffarwél fod yn derfynol heddiw, ella mai eisiau hoe wyt ti, fyddi di'n meddwl yn wahanol wedyn.'

'Fedra i ddim Greta, mae'r holl beth ar fy meddwl i drwy'r amser, hogan bach gwallt coch yn chwilio am gath oeddwn i iddo fo, ac Anti Glad wyt ti, a rwyt ti wedi gweld y golwg ar ei wyneb o pan 'dan ni'n trio egluro iddo fo. Mae hi'n llai o boen meddwl i mi ac iddo fo os 'dan ni'n rhoi terfyn ar bopeth.'

'Beth am fynd i Efrog Newydd am gyfnod a wedyn...'

'Na, parhau'r boen fasa hynny.'

Roedd dagrau'r ddwy yn llifo erbyn hyn a'r ddwy yn gwasgu llaw y llall yn dynn, dynn.

Canai Iorwerth yn hapus, 'ei roi o yn y stabal a ffid o India corn, y mul bach dela fuo 'rioed mewn trol'.

'Wyt ti eisia dipyn bach o amser efo fo ar dy ben dy hun?' holodd Greta.

'Nag ydw.'

'Ond fo ydi o, o hyd.'

'Nage.'

Gwyddai Greta nad oedd modd trafod mwy gyda Bethan, ond erbyn hyn roedd ei dagrau hithau'n llifo'n ffrwd gyson. Roedd gollwng Yncl Iorwerth yn digwydd yn rhy sydyn o lawer ganddi. Cydiodd yn llaw Iorwerth a syllu arno. Syllodd yntau yn ôl drwy lygaid llo bach, heb wybod sut i ymateb i'r dagrau a welai.

'Rydan ni'n mynd rŵan, Yncl Iorwerth.'

'Ydan ni? Lle 'dan ni'n mynd?'

'Na, Bethan a finna sy'n mynd, rydach chi'n aros fan hyn.'

'Pa ddiwrnod ydi hi?'

'Heddiw Yncl Iorwerth, diwrnod ar ôl ddoe a diwrnod cyn fory.'

Cododd y tri oddi ar y gwely a chofleidio yn un cwlwm mawr yng nghanol y stafell. Byddai Greta wedi gallu sefyll yno yng nghoflaid y ddau am hir, hir, ond gallai synhwyro annifyrrwch Iorwerth. Roedd Bethan hithau yn ysu am adael bellach. Torrwyd y cwlwm yn ddisymwth ac ymhen dau funud roedd Bethan wedi cydio yn y drws.

''Dach chi am wylio teledu, Yncl Iorwerth?' holodd Greta.

'Ydw,' meddai yntau yn rhadlon.

'Da boch chi, 'Nhad,' meddai Bethan.

'Faint o'r gloch ydi hi?'

'Yn gloch i gyd ond ei thafod,' meddai Greta fel siot.

Trodd Iorwerth ati'n chwim a lledodd gwên fawr dros ei wyneb.

'Da boch chi, Yncl Iorwerth.'

Cododd Iorwerth ei law wrth i'r ddwy gilio drwy'r drws.

Teithiodd y ddwy yn ôl i'r Berllan Bella ac yna i Gaerdydd bron heb yngan gair. Syllai Bethan yn y drych yn amlach nag y gwnaeth erioed o'r blaen wrth yrru. Ond doedd neb yn y sêt gefn. Ysai Greta am gael clywed 'tasa gen i ful bach...' ond doedd dim ond hymian tawel injan y car i'w glywed ac ni allai feiddio canu ei hun.

Heddiw...

Roedd hi'n tynnu am ddeg y nos, roedd Iorwerth Jones wedi ei osod yn ei wely gan staff y cartref. Daeth cnoc ysgafn ar y drws cyn iddo agor yn araf.

'Mr. Iorwerth Jones,' sibrydodd gŵr yn ei dridegau hwyr, 'Jones History. Sut ydach chi?'

'Helô,' atebodd Iorwerth yn syndod o sionc, 'pwy sydd 'na?'

''Dach chi ddim yn 'y nghofio i, dwi'n siŵr. Gwynfor, Gwynfor Morris, fi ydi perchennog y cartref 'ma. Rown i newydd ddechrau yn y chweched dosbarth pan wnaethoch chi adael yr ysgol.'

'O?' heb ddeall dim.

''Dach chi ddim yn cofio dwi'n siŵr, achos mae'ch pen chi wedi ffwndro'n llwyr erbyn hyn. Ond rown i'n meddwl y basa'n braf cael sgwrs bach ambell gyda'r nos fel hyn. Rhoi'r byd yn ei le fel petai. Dwi'n siŵr y byddech chi'n mwynhau hynny.'

Syllai ar y llun o Harri Tudur, rhedodd ei fys ar hyd y ffrâm a gwenodd wrtho'i hun.

'Faswn i ddim fan hyn heddiw oni bai amdanoch chi, bwysig i chi ddeall hynny.'

Oedodd am ychydig, eisteddodd ar ymyl y gwely gan syllu yn llygaid Iorwerth, a eisteddai yn gefn syth yn ei wely. 'Mi benderfynodd Iorwerth Jones adael yr ysgol ar fyr rybudd, wedi i Anti Glad adael Tyddyn Bach i chi. Tyddyn blydi Bach! Be 'dach chi ddim yn wybod ydi fod y bitsh yna wedi addo Tyddyn Bach i 'Nhad, a hwnnw, y bastad trist wedi ei chredu hi ac wedi benthyca miloedd ar gefn hynny. Ond wedyn roedd rhaid i'r blydi Llgodan ddrysu petha yn doedd? Etifeddu'r cwbl lot heb sentan i'r boi oedd wedi ffarmio drosti am flynyddoedd. Eich Anti Glad chi grogodd 'Nhad, 'dach chi'n gwybod hynny? Rhoi rhaff am ei wddw a'i wthio o ben y giât 'na yn y sied.' Poerodd y geiriau i gyfeiriad Iorwerth, yna tawelodd a symudodd yn nes at Iorwerth, 'A be amdanaf i 'ta, Llgodan? Trio gwneud fy Lefel blydi A mewn Hanes, ond wrth gwrs doedd 'na ddim athro, roedd hwnnw yn rhy brysur yn troi Tyddyn Bach yn *market garden*. 'Nhad wedi lladd ei hun, a'r hwch wedi mynd drwy'r siop a mam a finna yn gorfod trio codi'r darnau... does gynnoch chi ddim syniad cymaint oeddwn i'n eich casáu chi... ac ar ben hynny, eich blydi merch yn fy nympio fi am lesbo efo gwallt pinc ar yr union ddiwrnod i 'Nhad grogi ei hun. Blydi hel, rhwng y tri ohonoch chi 'dach chi wedi gwneud 'y mywyd i'n uffern ar y ddaear, y bastads. Ond fasa waeth i mi siarad efo fi fy hun ddim, yn na fasa Mr. Jones? 'Dach chi ddim yn dallt dim nac yn cofio dim ond mi ydw i, i chi gael dallt, dwi'n cofio'n iawn. Ac efallai eich bod chitha hefyd. Wn i ddim be sy'n llechu yng nghysgodion tywyll eich cof chi. Tybed er enghraifft', syllodd yn ddwys iawn i lygaid Iorwerth fel petai'n chwilio am ryw ymateb, 'tybed fedrach chi ddweud wrtha i, oedd Harri'r wythfed yn ffwcio Ann Boleyn cyn priodi?'

Gwelwodd wyneb Iorwerth a syllodd yn ôl yn wyneb Gwynfor Morris.

'Dyna ni, rown i'n meddwl y basach chi'n cofio, a dwi'n siŵr y medrwch chi adrodd yr hen rigwm efo fi. Divorced,